Anne Buscha ▪ Szilvia Szita

SPEKTRUM DEUTSCH A1+

DEUTSCH

Integriertes Kurs- und Arbeitsbuch
für Deutsch als Fremdsprache

Sprachniveau A1+

Teilband 1

Mit Zeichnungen von Jean-Marc Deltorn

SCHUBERT
Verlag

Digitale Zusatzmaterialien

Audio-App

App „Wort+Satz"

Zur Wiedergabe der zum Buch gehörenden Audiomaterialien auf dem Smartphone oder Tablet.

Zum abwechslungsreichen Wortschatztraining für unterwegs mit dem Android-Smartphone.

Apps und alle weiteren digitalen Zusatzmaterialien sowie Aufgaben und Übungen unter:
www.schubert-verlag.de/spektrum.a1.dazu.php

Das vorliegende Lehrwerk beinhaltet Hörübungen.

 Hörtext (z. B. Teilband 1, Nr. 2)

Die Hörmaterialien sind mit unserer Audio-App oder auf unserer Website abrufbar.

Zeichnungen: Jean-Marc Deltorn
Verlagsredaktion: Albrecht Klemm
Layout und Satz: Diana Liebers

Die Hörtexte wurden gesprochen von:
Burkhard Behnke, Claudia Gräf, Susanne Prager, Axel Thielmann

Inhaltsverzeichnis

Kursübersicht

Unterwegs 133

Sprachhandlungen und Lernziele
▪ Informationen zum Verkehr und zu Verkehrsmitteln verstehen
▪ Über private und öffentliche Verkehrsmittel berichten ▪ Ein Gespräch über Verkehrsmittel führen ▪ Informationen zu Jahreszeiten und Wetter verstehen ▪ Über den Urlaub sprechen ▪ Reiseziele angeben ▪ Eine Postkarte aus dem Urlaub schreiben

Themen und Wortschatz
▪ Verkehrsmittel und Verkehr ▪ Verkehrsberichte ▪ Jahreszeiten, Monate und Wetter ▪ Länder und beliebte Reiseziele ▪ Urlaub

Strukturen
▪ Nomen und Artikel: Dativ ▪ Possessivartikel ▪ Lokalangaben: Schwerpunkt Richtungsangaben ▪ Verben: *wollen*

Aussprache
▪ Konsonanten: *b–p, d–t, g–k* ▪ *ich*-Laut

Was man so braucht 153

Sprachhandlungen und Lernziele
▪ Wichtige Dinge für eine Reise benennen ▪ Einen Grund nennen
▪ Über Mode und Kleidung sprechen ▪ Ein Einkaufsgespräch führen
▪ Texte zum Thema Einkaufen verstehen ▪ Über das Thema Einkaufen sprechen

Themen und Wortschatz
▪ Dinge für den Urlaub ▪ Kleidung ▪ Farben ▪ Einkaufen ▪ Online-Shopping

Strukturen
▪ Satzverbindungen: Konjunktion *denn* ▪ Adjektive: Deklination im Nominativ und Akkusativ ▪ Adjektive: Komparativ ▪ Verben: *müssen*
▪ Frage- und Demonstrativartikel: *dieser, welcher*

Aussprache
▪ Lange und kurze *e*-Laute

Arbeit, Probleme und Termine 173

Sprachhandlungen und Lernziele
▪ Tätigkeiten im Büro nennen ▪ Über Arbeit und Beruf sprechen
▪ Probleme beschreiben ▪ Telefongespräche mit dem Kundenservice führen ▪ Datums- und Zeitangaben formulieren ▪ Termine schriftlich absagen oder verschieben ▪ Gründe für eine Verspätung nennen ▪ Einen Text über Pünktlichkeit verstehen

Themen und Wortschatz
▪ Bürotätigkeiten ▪ Probleme im Büro ▪ Datumsangaben ▪ Termine
▪ Telefonieren ▪ E-Mails: Anrede und Gruß (2)

Strukturen
▪ Ordnungszahlen ▪ Personalpronomen im Akkusativ ▪ Temporalangaben

Aussprache
▪ Konsonanten: *f*-Laut und *w*-Laut

Vorwort

Spektrum Deutsch A1⁺ ist ein modernes und kommunikatives Lehrwerk für den Anfängerunterricht. Es richtet sich an erwachsene Lerner im In- und Ausland.

Spektrum Deutsch A1⁺ orientiert sich sowohl an den Beschreibungen des Gemeinsamen Europäischen Referenzrahmens für Sprachen, Niveau A1, als auch an den Bedürfnissen erwachsener Lerner nach schnellen und erkennbaren Lernerfolgen. Das Lehrbuch bietet von Beginn an relevanten Wortschatz für Alltag, Beruf und Studium und entspricht damit den sprachlichen und intellektuellen Anforderungen erwachsener Lerner. Das Plus im Titel verweist darauf, dass der Inhalt des Buches in einigen Bereichen (z. B. im Wortschatz oder bei der Verwendung sprachlicher Strukturen) über die im Referenzrahmen beschriebenen Lernziele für A1 hinausgeht.

Die Integration von Kurs- und Arbeitsbuch sorgt für eine einfache und schnelle Orientierung und eine hohe Effizienz beim Lernen.

Spektrum Deutsch A1⁺ ist klar strukturiert und besteht aus 12 Kapiteln. Jedes Kapitel enthält folgende Elemente:

- Der **Hauptteil** umfasst Lese- und Hörtexte, Aufgaben zur mündlichen und schriftlichen Kommunikation, Wortschatztraining, Übungen und Erläuterungen zu den Strukturen und Phonetikübungen. Hier werden grundlegende Fertigkeiten behandelt und trainiert.
- Der **Vertiefungsteil** bietet Übungen zu Wortschatz und Strukturen, die im Selbststudium bearbeitet werden können.
- Die **Übersichten** über wichtige Wörter und Wendungen, Verben im Kontext und die im Kapitel behandelten Strukturen dienen zur Wiederholung, Vertiefung und zum Nachschlagen.
- Mithilfe eines kleinen **Abschlusstests** kann am Ende jedes Kapitels der Lernerfolg selbstständig überprüft werden.

Die vorliegende Ausgabe von **Spektrum Deutsch A1⁺** besteht aus zwei Teilbänden mit jeweils **6 Kapiteln: Teilband 1** – Kapitel 1 bis 6; **Teilband 2** – Kapitel 7 bis 12.
Jeder Teilband enthält einen Anhang mit den Lösungen zu den Übungen. Teilband 2 beinhaltet außerdem einen Vorbereitungstest auf die Sprachprüfung *Start Deutsch 1* und eine zusammenfassende Übersicht der behandelten Strukturen.

Spektrum Deutsch A1⁺ beinhaltet zahlreiche Übungen zur Schulung des Hörverstehens. Die hierfür benötigten Audiodateien können Sie mit unserer Audio-App offline auf Ihrem Mobilgerät hören. Daneben stehen die Audiodateien auch online bereit.

Eine **Übersicht aller digitalen Zusatzmaterialen** zum Buch ist unter *www.schubert-verlag.de/spektrum.a1.dazu* zusammengestellt. Hier finden Sie alle Hörmaterialien zum Buch, Links zur **Audio-App** und zur **Wortschatz-App „Wort+Satz"**, Übersetzungen der Wörter und Wendungen am Kapitelende sowie einen Link zu weiterführenden Übungen in unserem Aufgabenportal *www.aufgaben.schubert-verlag.de*.

Wir wünschen Ihnen viel Freude beim Lernen und Lehren!

Anne Buscha und Szilvia Szita

Hallo und guten Tag!

Jemanden begrüßen und verabschieden
▸ *Hallo!* ▪ *Tschüss! ...*

Wichtige Alltagswendungen verstehen
▸ *Bitte.* ▪ *Danke. ...*

Die eigene Person vorstellen
▸ *Mein Name ist ...*

Fragen zur Person stellen
▸ *Wie heißen Sie?* ▪ *Woher kommen Sie?*

Andere Personen vorstellen
▸ *Das ist Max. Er kommt aus ...*

Buchstabieren
▸ *A – B – C ... X – Y – Z*

Über Hobbys sprechen
▸ *Ich spiele gern Fußball.*

**Einen kurzen Text über Begrüßung und
Verabschiedung verstehen**
▸ *Was sagen die Österreicher?*

1 **Wichtige Wendungen im Alltag**
Hören und lesen Sie.

Guten Morgen!

Guten Tag!

Hallo!

Guten Abend!

Gute Nacht!

Auf Wiedersehen!

Tschüss!

Bitte. – Danke.

Guten Appetit!

1 Hallo und guten Tag!

2 Sich vorstellen
a Hören und lesen Sie.

Christian: Guten Tag. Ich heiße Christian Fröhlich.
Ich komme aus Deutschland. Wie heißen Sie?

Erik: Hallo! Mein Name ist Erik Sander.
Ich komme aus Dänemark. Und wer sind Sie?

Paola: Ich bin Paola Conti und ich komme aus Italien.

b Hören und lesen Sie.

Christian: Hallo!
Ich heiße Christian Fröhlich.
Wie heißen Sie?

Erik: Mein Name ist Erik Sander.
Wer sind Sie?

Paola: Ich bin Paola Conti.
Ich komme aus Italien.

3 Klassenspaziergang: Hallo! Ich heiße ...
Sprechen Sie mit vielen Teilnehmern.

▪ Hallo! ▪ Guten Tag!	→	▪ Ich heiße ... ▪ Mein Name ist ... ▪ Ich bin ...	→ ▪ Ich komme aus ... → ▪ Und wie heißen Sie? ▪ Und wer sind Sie?

▶ *Hallo! Ich bin Julia Dinev. Ich komme aus Bulgarien. Und wie heißen Sie?*

4 *Sie* oder *du*?
a Hören und lesen Sie die Dialoge.

Dialog 1

Frau Richter: Guten Tag. Mein Name ist Lydia Richter.
Wie heißen Sie?

Herr Martinez: Ich heiße Mario Martinez.

Frau Richter: Woher kommen Sie, Herr Martinez?

Herr Martinez: Ich komme aus Spanien. Und Sie?

Frau Richter: Ich komme aus Österreich.
Ich wohne in Wien.
Wo wohnen Sie?

Herr Martinez: Ich wohne in Madrid.

Strukturen

- Wie heiß**en** Sie? (*formell*)
- Wie heiß**t** du? (*informell*)

- **Woher** kommst du?
  – **Aus** Spanien. / **Aus der** Schweiz.
- **Wo** wohnst du?
  – **In** Madrid.

Dialog 2

Florian: Hallo! Ich bin Florian.
Wie heißt du?

Lena: Ich heiße Lena.

Florian: Woher kommst du, Lena?

Lena: Ich komme aus Polen. Und du?

Florian: Ich komme aus der Schweiz.
Ich wohne in Basel. Und wo wohnst du?

Lena: Ich wohne in Warschau.

b Hören Sie die Dialoge noch einmal. Lesen Sie dann die Dialoge laut. Tauschen Sie die Rollen.

Spektrum Deutsch ▪ A1⁺

5 **Strukturen: Konjugation der Verben**
a Lesen Sie die Dialoge in Aufgabe 4 noch einmal.
Unterstreichen Sie die Verben *heißen*, *kommen* und *wohnen*.

b Strukturen: Konjugation der Verben
Ergänzen Sie die Endungen.

ich	du	Sie
Ich heiße Mario.	Wie heiß..... du?	Wie heiß..... Sie?
Ich komm..... aus Spanien.	Woher komm..... du?	Woher komm..... Sie?
Ich wohn..... in Madrid.	Wo wohn..... du?	Wo wohn..... Sie?

6 **Phonetik: Satzmelodie**
Hören Sie und lesen Sie laut.
Achten Sie auf die Satzmelodie.

- ▪ Ich heiße Mario. ↘ Und du? ↗ Wie heißt du? ↗

- ▪ Mein Name ist Lena. ↘ Wo wohnst du? ↗

- ▪ Ich wohne in Madrid. ↘

▸ Melodie nach unten: ↘
  Melodie nach oben: ↗

7 **Partnerarbeit: Sich vorstellen**
a Ergänzen Sie die Lücken. Hören Sie danach die Lösungen.

1 (07)

- ▪ Ich
- ▪ kommst
- ▪ in
- ▪ Tag
- ▪ aus
- ▪ wohnst
- ▪ Name
- ▪ heißt

Eva: Guten ....
Mein .... ist Eva.
Wie .... du?

Eduardo: .... heiße Eduardo.

Eva: Woher .... du, Eduardo?

Eduardo: Ich komme .... Spanien.
Und du?

Eva: Ich komme aus Deutschland.
Ich wohne in Köln.
Und wo .... du?

Eduardo: Ich wohne .... Sevilla.

b Spielen Sie Dialoge. Achten Sie auf die Satzmelodie.

Hallo! Ich ... Wie ...? **A**
  B Ich bin ...
Woher ...? **A**
  B Ich komme aus ...
  Und du?
Ich komme aus ... **A**
Ich wohne in ...
Wo ...?
  B Ich wohne in ...

Köln: Dom und Hohenzollernbrücke

8 Das Alphabet
Hören Sie und lesen Sie laut.

 1 08

A a	B b	C c	D d	E e	F f	G g	H h	I i
[a:]	[be:]	[tse:]	[de:]	[e:]	[ɛf]	[ge:]	[ha:]	[i:]
J j	K k	L l	M m	N n	O o	P p	Q q	R r
[jɔt]	[ka:]	[ɛl]	[ɛm]	[ɛn]	[o:]	[pe:]	[ku:]	[ɛr]
S s	T t	U u	V v	W w	X x	Y y	Z z	
[ɛs]	[te:]	[u:]	[faọ]	[ve:]	[ɪks]	['ʏpsilɔn]	[tsɛt]	

Besondere	Ä ä	Ö ö	Ü ü	ß
Buchstaben:	[ɛ:]	[ø:]	[y:]	[ɛsts'ɛt]

9 Städte in Deutschland, Österreich und der Schweiz
a Buchstabieren Sie die Städte.

◘ Bern   B - E - R - N

1. Hamburg
2. Leipzig
3. Linz
4. Wien
5. Zürich
6. Stuttgart

Bern: Bundeshaus

7. Innsbruck
8. Berlin
9. Genf
10. Köln
11. Frankfurt
12. München
13. Basel

b Spielen Sie Dialoge. Jeder fragt nach drei Städten aus a).

▪ in Deutschland ▪ in Österreich ▪ in der Schweiz

Wo ist Bern?   **A**
     B   Bern ist in der Schweiz./Ich glaube, Bern
         ist in der Schweiz.
         Wo ist ...
    ...   **A**

▶ **Strukturen**

sein
▪ Ich **bin** Florian.
▪ Wer **bist** du?
▪ Rom **ist** in Italien.

10 Typische Familiennamen
a Wählen Sie drei Namen und buchstabieren Sie. Arbeiten Sie zu dritt. Hören Sie zuerst das Beispiel.

1 09

Deutschland (D)	Österreich (A)	die Schweiz (CH)
◘ M - Ü - L - L - E - R	5. Gruber	10. Maier
1. Schmidt	6. Huber	11. Keller
2. Schneider	7. Wagner	12. Gerber
3. Fischer	8. Pichler	13. Baumann
4. Weber	9. Steiner	14. Graf

b Buchstabieren Sie zwei typische Familiennamen aus Ihrem Heimatland.

◘ Spanien: G - A - R - C - I - A

c Buchstabieren Sie Ihren Namen und schreiben Sie die Namen der anderen Kursteilnehmer.
Arbeiten Sie in Gruppen.

▶ Mein Name ist E - R - I - K S - A - N - D - E - R.

11 Wer macht was?

Hören Sie die Texte zweimal. Ergänzen Sie beim zweiten Hören die Wörter.

1 🎧 10

① **Das ist Tiago.**
Tiago kommt aus Portugal.
Er wohnt in Lissabon.
Er spricht Portugiesisch und
Spanisch.
Er lernt jetzt Japanisch.
Tiago kocht gern.

② **Das ist Steffi.**
Steffi .... aus
Deutschland.
Sie wohnt .... München.
Sie spricht Deutsch und lernt
jetzt Russisch.
Sie spielt gern Tennis.

③ **Das ist Viktor.**
Viktor kommt ....
Schweden.
.... wohnt in Stockholm.
Er spricht Schwedisch, Englisch
und Dänisch.
Jetzt .... er Chine-
sisch.
Viktor fotografiert gern.

> **Strukturen**
> - Viktor = er
> - Steffi = sie

④ **Das** .... **Max.**
Max kommt .... Österreich.
Er wohnt in Graz.
Er .... Deutsch und
Italienisch.
Er hört gern Musik.

⑤ **Das sind Alexis und Yanis.**
Alexis und Yanis kommen aus
Griechenland.
Sie wohnen in Athen.
Sie sprechen Griechisch und
Englisch.
Jetzt lernen sie Deutsch.
Alexis und Yanis spielen gern
Fußball.

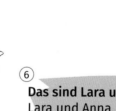

> **Strukturen**
> - Alexis und Yanis = sie
> - Lara und Anna = sie

⑥ **Das sind Lara und Anna.**
Lara und Anna .... aus der
Schweiz.
Sie .... in Bern.
Sie sprechen Deutsch, Französisch und
Italienisch.
Sie ....
jetzt Englisch.
Lara und Anna
schwimmen ....

⑦ **Das** .... **Dávid, Lili,
Dóra, Fanni und Levente.**
Sie kommen aus Ungarn
.... wohnen in Budapest.
Sie .... Ungarisch,
Englisch und Französisch.
.... tanzen gern.

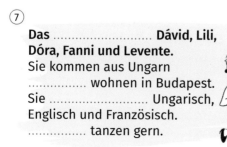

12 Interview: Hobbys

a Fragen Sie drei Kursteilnehmer und notieren Sie die Antworten.

- Was machst du gern?/
  Was machen Sie gern?

- Ich schwimme gern. ▪ Ich tanze gern.
- Ich höre gern Musik. ▪ Ich koche gern.
- Ich spiele gern Fußball/Tennis/Compu-
  terspiele/Gitarre.
- Ich lerne gern Sprachen.
- Ich fotografiere gern.

- Ich auch.
- Interessant.
- Wirklich?

Was?

Frage	Antwort		
	Name:	Name:	Name:
Was machst du gern?/ Was machen Sie gern?			

b Berichten Sie.

▶ Juliane hört gern Musik. Christian und Vera kochen gern.

▶ **Strukturen**

- gern
- nicht (so) gern

13 Strukturen: Konjugation der Verben
Ergänzen Sie.

		wohnen	spielen	hören	lernen	heißen	tanzen	sein
Singular	ich	wohne	....	....	lerne	....	....	....
	du	....	spielst	....	....	heißt (!)	tanzt (!)	bist
	er/sie	....	....	....	....	heißt	tanzt	ist
Plural	sie	wohnen	....	hören	....	....	....	....
formell	Sie	....	....	....	....	....	....	sind

14 Partnerarbeit: Schwimmst du gern?
Spielen Sie Dialoge.

▶ **A:** Schwimmst du gern?   →   **B:** – Ja, ich schwimme gern.
                                                       – Nein, ich schwimme nicht (so) gern.

    B: Spielst du gern Computerspiele?   **A:** ....

1. **A:** Spielst du gern Tennis?   **B:** ....
2. **B:** Hörst du gern Musik?   **A:** ....
3. **A:** Lernst du gern Deutsch?   **B:** ....
4. **B:** Spielst du gern Fußball?   **A:** ....
5. **A:** Tanzt du gern?   **B:** ....
6. **B:** Wohnst du gern in ...?   **A:** ....
7. **A:** Fotografierst du gern?   **B:** ....
8. **B:** Kochst du gern?   **A:** ....

15 Personen vorstellen
Stellen Sie die Personen vor.

Strukturen

- ich **spreche**
- du **sprichst**
- er/sie **spricht**
- sie/Sie **sprechen**

Name:	Franz	Das ist Franz.
Land:	Deutschland	Er kommt aus ....
Ort:	München	Er wohnt in ....
Sprache:	Deutsch	Er spricht ....
Hobby:	Fußball spielen	Er spielt gern ....

Name:	Martina	Das ist ....
Land:	Schweiz	....
Ort:	Bern	....
Sprachen:	Deutsch,	....
	Französisch	....
Hobby:	Sprachen lernen	....

Namen:	Lars, Rasmus, Johan	Das sind ....
Land:	Dänemark	....
Ort:	Kopenhagen	....
Sprachen:	Dänisch,	....
	Schwedisch,	....
	Englisch	....
Hobby:	Jazz spielen	....

16 Länder und Sprachen
a Hören und lesen Sie.

 1 (11)

• Bulgarien – Bulgarisch	• Griechenland – Griechisch	• Portugal – Portugiesisch
• China – Chinesisch	• Italien – Italienisch	• Russland – Russisch
• Dänemark – Dänisch	• Japan – Japanisch	• Spanien – Spanisch
• Großbritannien – Englisch	• die Niederlande – Niederländisch	• die Türkei – Türkisch
• Frankreich – Französisch	• Marokko – Arabisch	• Ungarn – Ungarisch

b Klassenspaziergang: Sprachen
Sprechen Sie mit vielen Teilnehmern.

- Wie heißt du? Welche Sprachen sprichst du?/ Wie heißen Sie? Welche Sprachen sprechen Sie?
- Ich heiße .../Ich spreche ...

c Berichten Sie.

▶ *Juliane spricht Französisch. Rob und Vera sprechen Niederländisch.*

17 Phonetik
a Hören Sie und lesen Sie laut.

 1 (12) **sch [ʃ] und sp [ʃp]**

sch [ʃ]	sp [ʃp]
• Schweden • die Schweiz	• sprechen • Spanisch
• Russisch • Englisch • Arabisch • Türkisch	• Sprache • Spanien
• Polnisch • Ungarisch • Französisch	• Beispiel • spielen

b Hören und ergänzen Sie.

 1 (13)

- Was ist Ihre Muttersprache?
- Welche .....rachen .....rechen Sie?
- .....rechen Sie Russi.....?
- .....richst du Polni.....?

18 Ihr und wir

a Hören und lesen Sie den Dialog.

Susanne:	Hallo, ich bin Susanne.
Marie:	Hallo, ich bin Marie. Das ist Adam. Woher kommst du, Susanne?
Susanne:	Ich komme aus Österreich, aus Wien. Und ihr? Woher kommt ihr?
Adam:	Wir kommen aus Tschechien.
Susanne:	Ah, aus Tschechien! Wohnt ihr in Prag?
Adam:	Ja, wir wohnen in Prag.

▶ **Strukturen**

- Wo wohnt **ihr**?
  – **Wir** wohnen in Prag.

▶ **Redemittel**

Positive Reaktionen
- Interessant!
- Toll!
- Super!

Susanne:	Was macht ihr hier in Berlin?
Marie:	Wir lernen Deutsch.
Susanne:	Toll! Welche Sprachen sprecht ihr noch?
Marie:	Wir sprechen Tschechisch, Englisch und ein bisschen Russisch. Und du?
Susanne:	Ich spreche Deutsch, Englisch und auch ein bisschen Russisch.
Adam:	Du sprichst Russisch! Interessant!

b Spielen Sie den Dialog. Tauschen Sie die Rollen.

c Formulieren Sie Antworten. Arbeiten Sie zu zweit.

▶ **A:** Spielst du gern Fußball? → **B:** Ja, *ich spiele gern Fußball.*
   B: Spielt ihr gern Fußball? **A:** Nein, *wir spielen lieber Volleyball.*
   (lieber Volleyball)

1. **A:** Sprecht ihr Englisch? **B:** Ja, *wir* ....
2. **B:** Kocht ihr gern? **A:** Ja, ...
3. **A:** Lernst du Deutsch? **B:** Ja, ...
4. **B:** Wohnt ihr in Rom? **A:** Nein, ... *(Athen)*
5. **A:** Hörst du gern Musik? **B:** Ja, ...
6. **B:** Schwimmt ihr gern? **A:** Nein, ...
   (lieber Gymnastik machen)
7. **A:** Fotografierst du gern? **B:** Ja, ...
8. **B:** Kommt ihr aus Deutschland? **A:** Nein, ... *(Schweden)*

d Markieren Sie die Endungen der Verben und ergänzen Sie das richtige Pronomen. Arbeiten Sie zu zweit.

▶ *wir ▪ sie ▪ ich*
   Ich heiße Martina.

1. *Sie ▪ du ▪ ihr*
   Lernst .... auch Deutsch?
2. *du ▪ ihr ▪ Sie*
   Spielt .... gern Tennis?
3. *er ▪ du ▪ ich*
   .... kocht gern.

4. *ich ▪ ihr ▪ wir*
   .... wohnen in München.
5. *du ▪ Sie ▪ ihr*
   Welche Sprachen sprechen ....?
6. *ich ▪ sie ▪ wir*
   .... tanze nicht gern.

Spektrum Deutsch ▪ A1⁺

19 Strukturen: Satzbau

a Lesen Sie die Sätze aus Aufgabe 18a noch einmal und unterstreichen Sie die Verben.

▶ Woher <u>kommst</u> du? – Ich <u>komme</u> aus Wien.
1. Woher kommt ihr? – Wir kommen aus Tschechien.
2. Wohnt ihr in Prag? – Ja, wir wohnen in Prag.
3. Was macht ihr hier in Berlin? – Wir lernen Deutsch.
4. Welche Sprachen sprecht ihr noch? – Wir sprechen Tschechisch, Englisch und ein bisschen Russisch.

Die Wiener Staatsoper

b Ergänzen Sie die fehlenden Wörter aus a).

> **Satzbau**

	Position 1	Position 2	Position 3
Aussagesatz	Wir	kommen	aus Tschechien.
	Wir	wohnen	....
Fragesatz mit Fragewort	Woher	....	ihr?
	Welche Sprachen	....	.............................?
Ja-Nein-Frage	Wohnt	....	.............................?

c Bilden Sie Sätze. Achten Sie auf das Verb und die Wortstellung.

▶ *aus Griechenland ▪ Alexis ▪ kommen*   Alexis kommt aus Griechenland.
1. *in Athen ▪ er ▪ wohnen*   ....
2. *Spanisch ▪ ich ▪ sprechen*   ....
3. *wo ▪ du ▪ wohnen?*   ....
4. *jetzt ▪ wir ▪ Deutsch ▪ lernen*   ....
5. *gern ▪ ihr ▪ fotografieren?*   ....

20 Fragen und Antworten

a Formulieren Sie Fragen.

▶ Wie heißt du? / Wie heißen Sie?   Erik Gustafson.
1. ....   Ich komme aus Schweden.
2. ....   In Stockholm.
3. ....   Ich spiele gern Gitarre.
4. ....   Ich spreche Schwedisch und Englisch.
5. ....   Ja, ich spreche ein bisschen Spanisch.

b Formulieren Sie Fragen und Antworten. Arbeiten Sie zu zweit. Lesen Sie den Dialog danach laut.

Wie ....? **A**
    B .... Und Sie?
.... **A**
    B Woher ....?
.... Und Sie? **A**
    B ....
Wo ....? **A**
    B .... Und Sie?
.... **A**
    B Was machen ....?
.... Und Sie? **A**
    B ....
Welche ....? **A**
    B .... Und Sie?
.... **A**

21 Eine Person im Kurs beschreiben
Schreiben Sie einen Text über
eine Person im Kurs.

• Wie heißt die Person?
• Woher kommt sie?
• Wo wohnt sie?

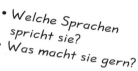
• Welche Sprachen spricht sie?
• Was macht sie gern?

22 Begrüßung und Verabschiedung in Österreich
Was sagen die Österreicher? Suchen Sie die Informationen im Text.

▪ Was sagen die Österreicher?

Eine neue Studie vom Institut Spectra zeigt: Der beliebteste Gruß in Österreich ist *Hallo*.

74 Prozent der Österreicher sagen *Hallo* zur Begrüßung, 64 Prozent sagen *Grüß Gott*, 34 Prozent sagen *Servus* und 7 Prozent sagen *Guten Tag*.

Zur Verabschiedung sagt man in Österreich *Servus* oder *Tschüss* (informell) oder *Auf Wiedersehen* (formell). Viele Männer sagen *Servus*, viele Frauen sagen *Tschüss*.

Österreich: Die Alpen

Begrüßung:

1. Hallo!
2. ....
3. ....
4. ....

 Strukturen

▪ er/sie/man sagt
▪ man = allgemein

Verabschiedung:

1. ....
2. ....
3. ....

23 Begrüßung und Verabschiedung in Ihrem Heimatland
Was sagt man in Ihrem Heimatland? Berichten Sie.

In .... sagt man .... *(Begrüßung)*

und .... *(Verabschiedung)*.

Übungen zur Vertiefung und zum Selbststudium

Ü1 ⟩ **Was passt?**
Ordnen Sie zu.

- Guten Morgen! (4)
- Guten Tag! (......)
- Guten Abend! (......)
- Gute Nacht! (......)

- Danke. (......)
- Tschüss! (......)
- Bitte. (......)

Ü2 ⟩ **Sich vorstellen**
Ergänzen Sie die Verben *sein*, *heißen*, *kommen* und *wohnen* in der richtigen Form. Hören Sie zur Kontrolle den Dialog 2 aus Aufgabe 4.

Basel: Gems-Brunnen

Florian:	Hallo! Ich bin Florian. Wie .... du?
Lena:	Ich .... Lena.
Florian:	Woher .... du, Lena?
Lena:	Ich .... aus Polen. Und du?
Florian:	Ich .... aus der Schweiz. Ich .... in Basel. Und wo .... du?
Lena:	Ich .... in Warschau.

Ü3 ⟩ **Was machen diese Personen gern?**
Bilden Sie Sätze.

Herr Schmidt

Frau Gruber ①

Herr Graf ②

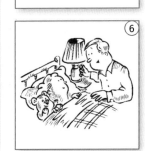

▶ ... hört gern Musik.

Herr Steiner ③

Franzi und Emma ④

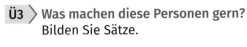

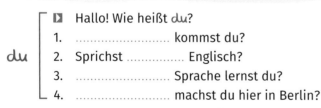

Ü4 ⟩ **Was passt?**
Verbinden Sie.

▶	Ich	☐		☐	spielt	☐		☐	Deutsch und Englisch.
1.	Du	☐		☐	wohnt	☐		☐	Christian Fröhlich.
2.	Er	☐		☐	heiße	☐		☐	in München.
3.	Ihr	☐		☐	kommst	☐		☐	Fußball.
4.	Anna	☐		☐	sind	☐		☐	aus Deutschland.
5.	Wir	☐		☐	sprecht	☐		☐	Alexis und Yanis.
6.	Das	☐		☐	kochen	☐		☐	gern.

Ü5 ⟩ **Ergänzen Sie die Verben.**
Hören Sie zur Kontrolle den Dialog aus Aufgabe 18.

Susanne: Hallo, ich *bin* (sein) Susanne.

Marie: Hallo, ich .... (sein) Marie, das .... (sein) Adam.
Woher .... (kommen) du, Susanne?

Susanne: Ich .... (kommen) aus Österreich, aus Wien.
Und ihr? Woher .... (kommen) ihr?

Adam: Wir .... (kommen) aus Tschechien.

Susanne: Ah, aus Tschechien! .... (wohnen) ihr in Prag?

Adam: Ja, wir .... (wohnen) in Prag.

Susanne: Was .... (machen) ihr hier in Berlin?

Marie: Wir .... (lernen) Deutsch.

Susanne: Toll! Welche Sprachen .... (sprechen) ihr noch?

Marie: Wir .... (sprechen) Tschechisch, Englisch und ein bisschen Russisch. Und du?

Susanne: Ich .... (sprechen) Deutsch, Englisch und auch ein bisschen Russisch.

Adam: Du .... (sprechen) Russisch! Interessant!

Ü6 ⟩ **Viele Fragen**
Ergänzen Sie.

du
- ▶ Hallo! Wie heißt *du*?
- 1. .... kommst du?
- 2. Sprichst .... Englisch?
- 3. .... Sprache lernst du?
- 4. .... machst du hier in Berlin?

ihr
- 5. Wohnt ihr auch .... Wien?
- 6. Hört .... gern Musik?
- 7. Welche Sprachen .... ihr?
- 8. Fotografiert .... gern?
- 9. .... ihr gern Fußball?

Sie
- 10. Guten Tag. Wie .... Sie?
- 11. Wohnen .... auch im Hotel Merkur?
- 12. Was .... Sie hier in Wien?
- 13. Woher .... Sie?
- 14. Tanzen Sie ....?

Ü7 Was passt?
Unterstreichen Sie.

1. spielen: <u>Gitarre</u> ▪ Klavier ▪ Tennis ▪ Englisch ▪ Sprachen ▪ Fußball ▪ Volleyball
2. sprechen: Dänisch ▪ London ▪ Portugiesisch ▪ Japanisch ▪ Italien
3. lernen: Deutsch ▪ schwimmen ▪ sprechen ▪ wohnen ▪ sein

Ü8 Nein sagen
Formulieren Sie Fragen und antworten Sie wie im Beispiel.

▶ *du: gern Tennis spielen?*
   ▪ *ich: lieber Gymnastik machen*

Spielst du gern Tennis?
– Nein, ich mache lieber Gymnastik.

1. *Sie: in Helsinki wohnen?*
   ▪ *wir: in Oslo wohnen*
   ....
   ....
2. *ihr: Deutsch lernen?*
   ▪ *wir: Russisch lernen*
   ....
   ....
3. *Laura: gern kochen?*
   ▪ *sie: lieber Sport machen*
   ....
   ....
4. *Oliver: gern Fußball spielen?*
   ▪ *er: lieber schwimmen*
   ....
   ....
5. *Kathrin: in Deutschland sein?*
   ▪ *sie: in Amerika sein*
   ....
   ....
6. *Carla und Norbert: aus Zürich kommen?*
   ▪ *sie: aus Basel kommen*
   ....
   ....
7. *Sie: Französisch sprechen?*
   ▪ *ich: Englisch und Deutsch sprechen*
   ....
   ....

Ü9 Wie heißen Sie?
Ergänzen Sie die Fragewörter und antworten Sie.

- ~~wie~~
- was *(2 x)*
- wo
- woher
- welche

▶ *Wie* heißen Sie?
   (Martina) Ich heiße Martina.

1. .... kommen Sie?
   (Österreich) ....
2. .... wohnen Sie?
   (Wien) ....
3. .... Sprachen sprechen Sie?
   (Deutsch und Englisch) ....
4. .... lernen Sie jetzt?
   (Japanisch) ....
5. .... machen Sie gern?
   (kochen und schwimmen) ....

Ü10 Eine Person beschreiben
Schreiben Sie kurze Texte.

- Diego Perez
- Chile
- Santiago de Chile
- Spanisch und Französisch
- Deutsch
- Gitarre spielen
- Musik hören

- Tatjana Smirnow
- Russland
- Moskau
- Russisch und Englisch
- Deutsch
- Tennis spielen
- fotografieren

Wichtige Wörter und Wendungen

 Einige Redemittel für den Unterricht

Aufgaben im Unterricht

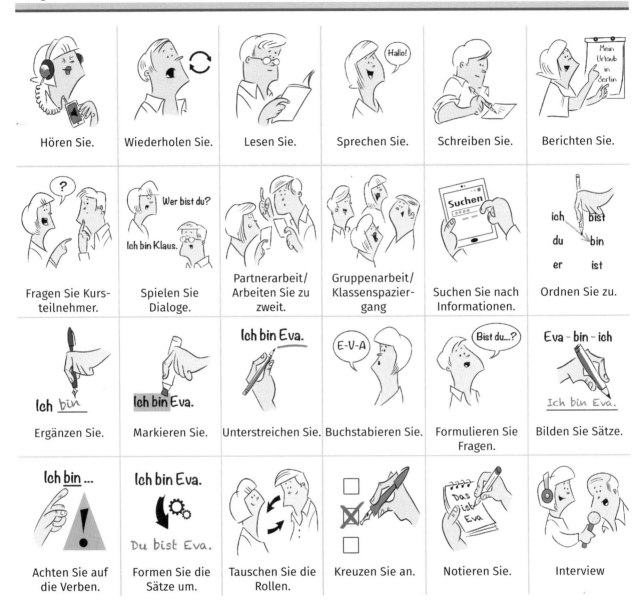

Hören Sie.	Wiederholen Sie.	Lesen Sie.
Sprechen Sie.	Schreiben Sie.	Berichten Sie.
Fragen Sie Kursteilnehmer.	Spielen Sie Dialoge.	Partnerarbeit/ Arbeiten Sie zu zweit.
Gruppenarbeit/ Klassenspaziergang	Suchen Sie nach Informationen.	Ordnen Sie zu.
Ergänzen Sie.	Markieren Sie.	Unterstreichen Sie.
Buchstabieren Sie.	Formulieren Sie Fragen.	Bilden Sie Sätze.
Achten Sie auf die Verben.	Formen Sie die Sätze um.	Tauschen Sie die Rollen.
Kreuzen Sie an.	Notieren Sie.	Interview

Fragen im Unterricht

Wie heißt (das Wort) auf Deutsch?

Wie spricht man (das Wort) aus?

Wie schreibt man (das Wort)?

Das verstehe ich leider nicht.

> **Wiederholen Sie die Wörter und Wendungen.**
> Die Redemittel zum Hören und zweisprachige Redemittellisten finden Sie unter
> *http://www.schubert-verlag.de/spektrum.a1.dazu.php#K1*

Wichtige Wendungen im Alltag

- Guten Morgen!
- Guten Tag!
  A: Grüß Gott! ▪ *CH:* Grüezi!
- Hallo!
  A: Servus! ▪ *CH:* Salü! Hoi!
- Guten Abend!
- Gute Nacht!
- Auf Wiedersehen!
  A: Servus! ▪ *CH:* Adieu!
- Tschüss! ▪ (Tschüs!)
  A (alternativ): Servus! ▪ *CH:* Adieu!
- Bitte.
- Danke.
- Guten Appetit!
- In Österreich sagt man Hallo!

Fragen und Antworten zur Person

- Wer sind Sie?/Wer bist du?
- Wie heißen Sie?/Wie heißt du?
- Ich heiße *(Mario Martinez).*
- Mein Name ist *(Mario Martinez).*
- Woher kommen Sie?/Woher kommst du?
- Ich komme aus *(Spanien).*
- Wo wohnen Sie?/Wo wohnst du?
- Ich wohne in *(Madrid).*
- Welche Sprachen sprechen Sie?/
  Welche Sprachen sprichst du?
- Ich spreche *(Spanisch).*
- Peter spricht ein bisschen *(Französisch).*
- Ich lerne jetzt *(Deutsch).*

Länder und Sprachen *(Auswahl)*

- Dänemark ▪ Deutschland ▪ Frankreich
  ▪ Griechenland ▪ Großbritannien ▪ Italien
  ▪ Marokko ▪ die Niederlande ▪ Österreich ▪ Polen
  ▪ Portugal ▪ Russland ▪ Schweden ▪ die Schweiz
  ▪ Spanien ▪ Tschechien ▪ die Türkei ▪ Ungarn
- Arabisch ▪ Dänisch ▪ Deutsch ▪ Englisch
  ▪ Französisch ▪ Griechisch ▪ Italienisch
  ▪ Niederländisch ▪ Polnisch ▪ Portugiesisch
  ▪ Russisch ▪ Schwedisch ▪ Spanisch
  ▪ Tschechisch ▪ Türkisch ▪ Ungarisch

Hobbys

- Was machen Sie gern?/Was machst du gern?
- Ich spiele gern *(Fußball/Tennis/Musik/Compu-terspiele).*
- Hörst du gern Musik?
- Er kocht gern.
- Sie macht gern Gymnastik.
- Wir tanzen gern.
- Ihr schwimmt gern.
- Sie fotografieren gern.
- Fotografieren Sie auch gern?

Reaktionen im Gespräch

- Ich koche gern. – Ich auch.
- Ich lerne jetzt Griechisch. – Interessant!
- Marie spricht ein bisschen Russisch. – Toll! Super!
- Lars tanzt gern. – Wirklich?

Verben im Kontext und Strukturen

> ## Verben des Kapitels
> Lesen Sie die Verben. Üben Sie die Verben am besten mit Beispielsatz.

Verb	Beispielsatz
• fotografieren	Viktor fotografiert gern.
• glauben	Ich glaube, Rom ist in Italien.
• heißen	Wie heißt du?
• hören	Ich höre gern Musik.
• kochen	Tiago kocht gern.
• kommen	Wir kommen aus Schweden.
• lernen	Martina lernt gern Sprachen.
• machen	Was machst du gern?
• sagen	Die Österreicher sagen Servus.
• schwimmen	Lara und Anna schwimmen gern.
• sein	Ich bin Peter.
• spielen	Spielst du gern Fußball?
• sprechen	Ich spreche Spanisch.
• tanzen	Dora und Lili tanzen gern.
• wohnen	Max wohnt in Graz.
• zeigen	Eine neue Studie zeigt: ...

> ## Verben: Konjugation

		wohnen	kommen	machen
Singular	ich	wohne	komme	mache
	du	wohnst	kommst	machst
	er (Alexis) sie (Julia)	wohnt	kommt	macht
Plural	wir	wohnen	kommen	machen
	ihr	wohnt	kommt	macht
	sie	wohnen	kommen	machen
formell	Sie	wohnen	kommen	machen

> ## Verben mit Besonderheiten

		heißen	tanzen	sprechen	sein
Singular	ich	heiße	tanze	spreche	bin
	du	heißt	tanzt	sprichst	bist
	er/sie	heißt	tanzt	spricht	ist
Plural	wir	heißen	tanzen	sprechen	sind
	ihr	heißt	tanzt	sprecht	seid
	sie	heißen	tanzen	sprechen	sind
formell	Sie	heißen	tanzen	sprechen	sind

Personalpronomen

Singular	ich	Ich heiße Michael.
	du	Wie heißt du?
	er	Das ist Erik. Er kommt aus Dänemark.
	sie	Das ist Paola. Sie kommt aus Italien.
Plural	wir	Wir lernen Deutsch.
	ihr	Welche Sprachen sprecht ihr?
	sie	Das sind Erik und Paola. Sie kommen aus Dänemark und Italien.
formell	Sie	Wie heißen Sie?

Satzbau

	Position 1	Position 2	Position 3
Aussagesatz	Mein Name	ist	Mario Martinez.
	Ich	wohne	in Madrid.
	Jetzt	lerne	ich Deutsch.
Fragesatz mit Fragewort	Wie	heißen	Sie?
	Woher	kommen	Sie?
Fragesatz: Ja-Nein-Fragen	Wohnen	Sie	in Berlin?
	Sprechen	Sie	Deutsch?

Präpositionen

aus	Ich komme aus Schweden.
in	Ich wohne in Köln.

Adverbien

gern(e)	Ich spiele gern/gerne Fußball.

Negation

nicht	Ich koche nicht (so) gern.

Konjunktionen

und	Ich spreche Englisch und Französisch.
oder	Man sagt in Österreich Servus oder Tschüss.

Kleiner Abschlusstest

Meine Gesamtleistung
Meine Gesamtleistung

.............../20

Was können Sie schon? Testen Sie sich selbst.

T1 ⟩ **Was passt?**
Ergänzen Sie.

............/4

▶ *heißt ▪ heißen ▪ heiße*
Wie heißen Sie?

1. *ist ▪ bin ▪ sind*
Mein Name .... Christian.

2. *wie ▪ wo ▪ woher*
.... kommst du?

3. *wohnen ▪ wohnst ▪ wohnt*
Wo .... Paola?

4. *lerne ▪ lernt ▪ lernen*
Lara und Anne .... jetzt Englisch.

5. *Sie ▪ du ▪ ihr*
Welche Sprachen sprichst ....?

6. *tanzen ▪ tanze ▪ tanzt*
.... ihr gern?

7. *er ▪ wir ▪ ihr*
.... spielen gern Fußball.

8. *woher ▪ wie ▪ welche*
.... Sprachen sprechen Sie?

T2 ⟩ **Fragen**
Ergänzen Sie das fehlende Wort.

............/8

▶ Guten Tag!
1. Wie heißen ....?
2. .... kommen Sie?
3. .... wohnen Sie?
4. .... machen Sie gern?
5. .... Sie gern Musik?
6. .... Sprachen sprechen Sie?
7. .... Sie Deutsch?
8. .... Sie gern Tennis?

T3 ⟩ **Eine Person beschreiben**
Bilden Sie Sätze. Achten Sie auf das Verb.

............/8

▶ *aus Schweden ▪ Viktoria ▪ kommen*   Viktoria kommt aus Schweden.

1. *in Stockholm ▪ sie ▪ wohnen*   ....

2. *sie ▪ Schwedisch, Englisch und*   ....
Deutsch ▪ sprechen   ....

3. *Viktoria ▪ gern ▪ fotografieren*   ....

4. *lernen ▪ Französisch ▪ sie ▪ jetzt*   ....

Beruf und Familie

Einige Berufe und Tätigkeiten nennen
▸ *Knut ist Student. Er liest viele Bücher.*

Über den Beruf sprechen
▸ *Was sind Sie von Beruf?*

Gegenstände aus Beruf und Alltag benennen
▸ *der Stift ▪ die Lampe ▪ das Handy …*

Zahlen verstehen und sprechen
▸ *1 2 3 4 5 …*

Einfache Informationen über Länder und Sprachen verstehen
▸ *1,5 Milliarden Menschen sprechen Englisch.*
▸ *Deutschland ist 357 340 Quadratkilometer groß.*

Einen Text über eine Familie verstehen
▸ *Das ist Peter, der Mann von Lucie.*

Über den Familienstand und Verwandte sprechen
▸ *Ich bin verheiratet.*

Ein Kennlerngespräch führen
▸ *Hallo, ich bin Marie. Und du?*

1 Berufe und Tätigkeiten
Hören und lesen Sie.

①
Heinz ist Künstler.
Er malt Bilder.

②
Otto ist Kellner.
Er bedient Gäste.

③
Dr. Jung ist Arzt.
Er untersucht Patienten.

④
Paul ist Informatiker.
Er entwickelt Computerspiele.

⑤
Frau Keller ist Lehrerin.
Sie unterrichtet Kinder.

⑥
Frau Müller arbeitet als Assisten-
tin. Sie schreibt viele E-Mails.

⑦
Knut ist Student.
Er liest viele Bücher.

⑧
Herr Faber arbeitet als Architekt.
Er präsentiert oft Projekte.

⑨
Eva ist Ingenieurin.
Sie konstruiert Solarautos.
Sie hat viele Besprechungen.

2 Berufe

a Wie heißt die andere Form? Ergänzen Sie.

der Künstler — *die Künstlerin*

der Kellner — ....

.... — die Ärztin

.... — die Informatikerin

der Lehrer — ....

der Assistent — ....

.... — die Studentin

.... — die Architektin

der Ingenieur — ....

b Nennen Sie die Berufe.

▶ Kerstin studiert Jura.   Später arbeitet sie als *Juristin*.

1. Johann studiert Musik.   Später arbeitet er als ....
2. Luca studiert Physik.   Später arbeitet ....
3. Margit lernt kochen.   Später arbeitet ....
4. Martina studiert Mathematik.   Später ....
5. Georg studiert Journalistik.   Später ....
6. Yvonne studiert Design.   Später ....

- Journalist
- Designerin
- Köchin
- ~~Juristin~~
- Physiker
- Mathematikerin
- Musiker

c Spielen Sie Dialoge.
Verwenden Sie die Sätze aus Aufgabe 1.

- Arzt/Ärztin
- Informatiker(in)
- Lehrer(in)
- Assistent(in)
- Student(in)
- Architekt(in)
- Ingenieur(in)

A: Bist du *Künstler(in)*?/
Sind Sie *Künstler(in)*?
B: Ja, ich bin Künstler(in).
A: Und was machst du/
machen Sie
als Künstler(in)?
B: Ich *male Bilder.*

▶ **Strukturen**

- lesen:
  - ich lese · du liest
  - er/sie liest
- entwickeln:
  - ich entwickle
  - du entwickelst
  - er entwickelt
- haben:
  - ich habe · du hast
  - er hat

3 Klassenspaziergang: Berufe

a Und Sie? Was sind Sie von Beruf? Was machen Sie? Suchen Sie Ihren Beruf im Wörterbuch bzw. im Internet auf Deutsch oder fragen Sie Ihre Lehrerin/Ihren Lehrer.

b Sprechen Sie mit vielen Teilnehmern.

- Was sind Sie von Beruf? – Ich bin …
- Was machen Sie beruflich? – Ich arbeite als …
- Was machen Sie als …? – Ich …

c Berichten Sie.

▶ *Christian ist Student. Er liest viel.*
Martina arbeitet als Managerin. Sie schreibt viele E-Mails.

4 Sich vorstellen

a Hören und lesen Sie den Dialog.

Peter Schneider:	Hallo, ich bin Peter Schneider. Wie ist Ihr Name?
Magdalena Nowak:	Ich heiße Magdalena Nowak. Kommen Sie aus Deutschland?
Peter Schneider:	Ja, ich komme aus Düsseldorf. Und Sie, woher kommen Sie?
Magdalena Nowak:	Ich komme aus Krakau.
Peter Schneider:	Ah, aus Krakau! Was machen Sie hier in Frankfurt?
Magdalena Nowak:	Ich lerne Deutsch.
Peter Schneider:	Und was machen Sie beruflich? Sind Sie Künstlerin?

Magdalena Nowak:	Nein, ich bin Lehrerin. Ich unterrichte Kinder. Und Sie?
Peter Schneider:	Ich arbeite als Manager. Ich bin beruflich oft in Polen, in Warschau.
Magdalena Nowak:	Interessant. Sprechen Sie ein bisschen Polnisch?
Peter Schneider:	Nein, ich spreche Englisch. Ich präsentiere auch Projekte auf Englisch.

b Lesen Sie den Dialog laut. Tauschen Sie die Rollen.

c Spielen Sie Dialoge.

Hallo! Ich ... **A**
     B Hallo, ich heiße ...
      Kommen Sie aus ...?

Ja/Nein, ich ... **A**
Und Sie? Wo wohnen ...
     B Ich wohne ...
      Was machen Sie beruflich?

Ich arbeite als ... **A**
Was sind Sie von Beruf?
     B Ich bin ...
      Welche Sprachen sprechen Sie?

Ich spreche ... **A**
     B ... spreche ich auch gut.
      Ich schreibe viele E-Mails auf ...

5 Tätigkeiten

Ordnen Sie zu. Orientieren Sie sich an Aufgabe 1.

▶	Bilder	☑	☐ a)	lernen
1.	Gäste	☐	☐ b)	entwickeln
2.	Patienten	☐	☐ c)	schreiben
3.	E-Mails	☐	☐ d)	unterrichten
4.	Deutsch	☐	☐ e)	untersuchen
5.	Computerspiele	☐	☑ f)	malen
6.	Kinder	☐	☐ g)	präsentieren
7.	Bücher	☐	☐ h)	bedienen
8.	Projekte	☐	☐ i)	haben
9.	Solarautos	☐	☐ j)	lesen
10.	Besprechungen	☐	☐ k)	konstruieren

6 Phonetik
Hören Sie und lesen Sie die Verben laut.

1 (17) ⟩ **Der Wortakzent bei Verben**

viele Verben	Der Akzent ist auf der Stammsilbe. ▪ arbeiten ▪ lesen ▪ schreiben ▪ hören ▪ lernen ▪ sprechen ▪ malen ▪ haben
Verben mit *be-/ent-*	Der Akzent ist auf der Stammsilbe. ▪ bedienen ▪ entwickeln
viele Verben mit *unter-*	Der Akzent ist auf der Stammsilbe. ▪ unterrichten ▪ untersuchen
Verben auf *-ieren*	Der Akzent ist auf *-ie-*. ▪ konstruieren ▪ studieren ▪ formulieren

7 Gegenstände für Beruf und Alltag
Hören und lesen Sie.

1 (18)

▶ **Strukturen**

- **maskulin:** der Tisch
- **feminin:** die Brille
- **neutral:** das Handy

 der Tisch
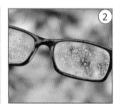 die Brille
 das Handy

 die Zeitung
 der Stuhl
 die Uhr
 die Tasche
 das Medikament

 die Lampe
 der Regenschirm
 die Seite
 die Tasse
 die Tür

 das Bild
 der Computer
 das Auto
 das Lehrbuch
 die Zeitschrift

 der Schlüssel
 die Flasche
 der Stift
 die Kaffeemaschine
 der Fußball

8 Phonetik

a Hören Sie die Nomen aus Aufgabe 7 noch einmal.
Markieren Sie den Wortakzent.

b Hören Sie und lesen Sie die Nomen laut.

 Der Wortakzent bei Nomen

viele Nomen	Der Akzent ist auf der Stammsilbe. ▪ der Name ▪ die Zeitung ▪ die Flasche ▪ die Seite ▪ die Brille ▪ der Schlüssel ▪ die Lampe ▪ der Kellner ▪ die Lehrerin ▪ der Künstler
Komposita	Der Akzent ist auf dem ersten Wort. ▪ der Fußball ▪ das Lehrbuch ▪ der Bildschirm ▪ der Schreibtisch
Fremdwörter	Der Akzent ist oft auf der letzten Silbe. ▪ der Student ▪ der Patient ▪ das Medikament ▪ der Assistent ▪ der Ingenieur ▪ die Präsentation ▪ das Büro

9 Welche Gegenstände sind im Kursraum?
Sammeln Sie sechs Gegenstände und suchen Sie im Wörterbuch
die deutschen Begriffe. Arbeiten Sie in Gruppen.
Präsentieren Sie die Gegenstände.

▶ **Tipp**

▪ Lernen Sie Nomen
immer mit Artikel!

1. ....
2. ....
3. ....
4. ....
5. ....
6. ....

10 Ein oder kein Stift?

a Antworten Sie wie im Beispiel. Arbeiten Sie zu zweit.

▶ **Strukturen**

▪ der Stift → ein/kein Stift
▪ die Brille → eine/keine Brille
▪ das Buch → ein/kein Buch

▶ Ist das ein Bleistift?
(der Lippenstift ▪ Marta) Nein, das ist kein Bleistift.
Das ist ein Lippenstift.
Das ist der Lippenstift von Marta.

1. Ist das ein Autoschlüssel?
(der Zimmerschlüssel ▪ Edwin) Nein, das ....
....

2. Ist das ein Sonnenschirm?
(der Regenschirm ▪ Susanne) Nein, das ....
....

3. Ist das ein Volleyball?
(der Fußball ▪ Paul) Nein, das ....
....

4. Ist das eine Gitarre?
(das Cello ▪ Ludger) Nein, das ....
....

5. Ist das ein Lehrbuch?
(das Wörterbuch ▪ Juliane) Nein, das ....
....

6. Ist das eine Tageszeitung?
(die Modezeitschrift ▪ Elena) Nein, das ....

b Hören und lesen Sie.

1 Ist das dein Stift?
   – Ja, das ist mein Stift.
   – Nein, das ist der Stift von Paul.

       Ist das deine Brille?
        – Ja, das ist meine Brille.
        – Nein, das ist die Brille von Otto.

Ist das Ihr Buch?
   – Ja, das ist mein Buch.
   – Nein, das ist das Buch von Vera.

> **Strukturen**
>
> - ich → **mein** Stift
> - du → **dein** Stift
> - Sie → **Ihr** Stift
>
> ---
>
> - **der** Stift → **mein** Stift
> - **die** Brille → **meine** Brille
> - **das** Buch → **mein** Buch

c *Mein* oder *dein* Stift? Spielen Sie Dialoge.

▶ **A:** *(die Tasche)* ⟶ **B:** *(nein ▪ Erika) (ja)*
   Ist das deine Tasche?   – Nein, das ist die Tasche von Erika.
                                      – Ja, das ist meine Tasche.

1. **B:** *(die Zeitung)*   **A:** *(ja)*
   Ist das ....?   Ja, das ....

2. **A:** *(die Uhr)*   **B:** *(ja)*
   Ist ....?   ....

3. **B:** *(das Handy)*   **A:** *(nein ▪ Frau Krause)*
   ....?   ....

4. **A:** *(das Auto)*   **B:** *(ja)*
   ....?   ....

5. **B:** *(der Schlüssel)*   **A:** *(ja)*
   ....?   ....

6. **A:** *(der Stuhl)*   **B:** *(nein ▪ Jürgen)*
   ....?   ....

7. **B:** *(das Lehrbuch)*   **A:** *(ja)*
   ....?   ....

11 **Gegenstände im Büro**
a Hören und lesen Sie.

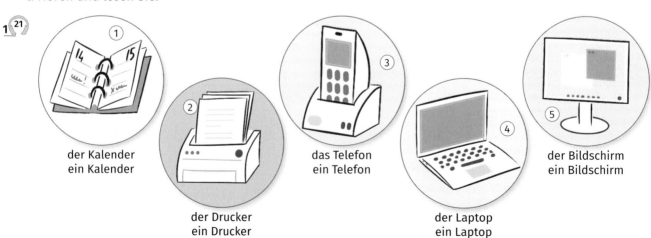

der Kalender / ein Kalender

der Drucker / ein Drucker

das Telefon / ein Telefon

der Laptop / ein Laptop

der Bildschirm / ein Bildschirm

b Was ist in Büro A, was ist in Büro B?
  Fragen und antworten Sie wie im Beispiel. Arbeiten Sie zu zweit. Verwenden Sie die Nomen im Singular.

▪ der Computer	▪ die Brille	▪ der Kalender	▪ der Bildschirm
▪ der Drucker	▪ der Stift	▪ die Tasse	▪ ~~der Stuhl~~
▪ die Kaffeemaschine	▪ das Telefon	▪ ~~das Bild~~	▪ der Schreibtisch
▪ das Handy	▪ der Regenschirm	▪ der Laptop	▪ die Lampe

Büro A

Büro B

Ist in Büro B ein Stuhl? **A**

B Ja, in Büro B ist ein Stuhl. Ist in Büro A ein Bild?

Nein, in Büro A ist kein Bild. Ist in Büro B ... **A**

12 **Strukturen: Nomen und Artikel**
  a Lesen Sie die Beispiele.

Das ist **der** Lippenstift von Marta.	▸ bestimmter Artikel
Das ist **ein** Lippenstift.	▸ unbestimmter Artikel
Das ist **kein** Lippenstift. (Das ist ein Bleistift.)	▸ negativer Artikel
Das ist **mein** Lippenstift.	▸ Possessivartikel

b Ergänzen Sie die Artikel.

maskulin	feminin	neutral
der Drucker	**die** Tasche	**das** Auto
ein Drucker	.... Tasche	.... Auto
kein Drucker	.... Tasche	**kein** Auto
.... Drucker	**meine** Tasche	.... Auto

13 Phonetik

a Hören Sie und lesen Sie laut.

 Diphthong *ei* [ae] und langer *i*-Laut *ie* [i:]

ei [ae]	ie [i:]
▪ ein ▪ mein ▪ dein ▪ Zeitung ▪ Zeitschrift ▪ Schreibtisch ▪ heißen ▪ schreiben ▪ arbeiten	▪ die ▪ sieben ▪ bedienen ▪ viel ▪ spielen ▪ studieren ▪ hier ▪ sie ▪ vier ▪ wie

b Hören Sie und ergänzen Sie *ei* oder *ie*.

- Das ist meine Z.....tung.
- Was ist d.....ne Muttersprache?
- Ist das .....ne Modez.....tschrift?

- Ich stud.....re in L.....pzig.
- Frau Müller schr.....bt v.....le E-Mails.
- Knut l.....st gern.

14 Zahlen

a Wie viele? Hören und lesen Sie.

50 Frau Müller schreibt heute **fünfzig** E-Mails.

34 Dr. Klein untersucht heute **vierunddreißig** Patienten.

46 Sabine lernt heute **sechsundvierzig** Vokabeln.

2 Herr Faber präsentiert heute **zwei** Projekte.

74 **Vierundsiebzig** Prozent der Österreicher sagen *Hallo*.

b Hören Sie und lesen Sie laut.

0	null	10	zehn	20	zwanzig
1	eins	11	elf	21	einundzwanzig
2	zwei	12	zwölf	22	zweiundzwanzig
3	drei	13	dreizehn	23	dreiundzwanzig
4	vier	14	vierzehn	24	vierundzwanzig
5	fünf	15	fünfzehn	25	fünfundzwanzig
6	sechs	16	**sechzehn (!)**	26	sechsundzwanzig
7	sieben	17	**siebzehn (!)**	27	siebenundzwanzig
8	acht	18	achtzehn	28	achtundzwanzig
9	neun	19	neunzehn	29	neunundzwanzig

30	dreißig	100	(ein)hundert
40	vierzig	101	einhundert(und)eins
50	fünfzig	121	einhunderteinundzwanzig
60	**sechzig (!)**	1 000	(ein)tausend
70	**siebzig (!)**	10 000	zehntausend
80	achtzig	100 000	einhunderttausend
90	neunzig	1 000 000	eine Million
		1 000 000 000	eine Milliarde

c Sprechen Sie die Zahlen. Hören Sie die Zahlen danach zur Kontrolle der Aussprache.

1 🎧 26

15 **Strukturen: Plural der Nomen**

a Im Lehrerzimmer sind viele Gegenstände. Hören Sie und ergänzen Sie die Zahlen.

1 🎧 27   ▶ ︎ *2* Kaffeemaschinen

1. .... Stühle	6. .... Zeitungen	11. .... Bücher
2. .... Stifte	7. .... Bilder	12. .... Taschen
3. .... Drucker	8. .... Computer	13. .... Handys
4. .... Schlüssel	9. .... Lampen	14. .... Tische
5. .... Tassen	10. .... Regenschirme	15. .... Laptops

b Markieren Sie die Endungen der Nomen.

c Ordnen Sie die Nomen im Plural aus a) zu.
Ergänzen Sie dann die Nomen im Singular. Arbeiten Sie zu zweit.

> **Tipp**
>
> ▪ Lernen Sie das Nomen auch im Plural.

Pluralendung	Nomen im Plural	Nomen im Singular
-(e)n	die Kaffeemaschinen	die Kaffeemaschine
	....	....
	....	....
	....	....
	....	....
-e (+ Umlaut)	die Stühle	der Stuhl
	....	....
	....	....
	....	....
--	die Drucker	der Drucker
	....	....
	....	....
-s	die Handys	das Handy
	....	....
-er (+ Umlaut)	die Bücher	das Buch
	....	....

16 Dialoge mit Zahlen

a Wie ist die Telefonnummer von ...? Spielen Sie Dialoge.

(Martina) Wie ist die Telefonnummer von Martina? **A**

B *(5 26 39 81)* Die Telefonnummer von Martina ist 5 26 39 81.

(Doktor Müller) Wie ist .... **A**
.....................................?

B *(6 47 35 27)* Die ....
(Anton) Wie ....?

(2 25 34 71) .... **A**
(Eva) ....?

B *(9 98 76 53)* ....
(Polizei) ....
von der Polizei?

(110) ....? **A**
(Feuerwehr) ....
von der Feuerwehr?

B *(112)* ....

b Lesen Sie den Beispieldialog. Spielen Sie die Dialoge 1, 2 und 3.

A: Welches Kennzeichen hat dein Auto?
B: Mein Auto hat das Kennzeichen L-ZB 6168.

A: Wohnst du in Leipzig?
B: Ja, ich wohne in Leipzig.

①
B: Welches Kennzeichen hat dein Auto?
A: *(B-OP 3657)* Mein ....
B: *(Berlin)* Wohnst ....
A: Ja, ...

②
A: Welches Kennzeichen hat das Auto von Otto?
B: *(H-FC 865)* Das Auto von ....
A: *(Hannover)* Wohnt ....
B: Ja, er ....

③
A: Welches Kennzeichen hat das Auto von Marie?
B: *(F-MX 354)* ....
A: *(Frankfurt)* ....
B: Ja, ...

Woher kommt das Auto?

B	Berlin	**DD**	Dresden	**H**	Hannover	**N**	Nürnberg
BO	Bochum	**DO**	Dortmund	**HH**	Hamburg	**PA**	Passau
CUX	Cuxhaven	**E**	Essen	**L**	Leipzig	**QLB**	Quedlinburg
D	Düsseldorf	**F**	Frankfurt/Main	**M**	München	**WO**	Worms

17 Deutschland, Österreich und die Schweiz in Zahlen

a Lesen Sie die Informationen über die deutschsprachigen Länder.
Schreiben Sie drei kurze Texte.

▶ **Tipp: 8,4**

- Wir sagen:
  acht Komma vier

- ... ist ... km² (Qua-
  dratkilometer) groß.
- ... hat ... Einwoh-
  ner/... Bundeslän-
  der/Kantone/...
  Millionenstädte/
  eine Millionenstadt.
- In der Hauptstadt ...
  wohnen ... Men-
  schen.
- Die Vorwahl für ...
  ist ...

	Deutschland	Österreich	die Schweiz
Fläche	357 375 km²	83 879 km²	41 285 km²
Bevölkerungszahl	82,2 Millionen	8,7 Millionen	8,4 Millionen
Bundesländer/ Kantone	16 Bundesländer	9 Bundesländer	26 Kantone
Millionenstädte	Berlin, Hamburg, München, Köln	Wien	keine
Einwohnerzahl der Hauptstadt	3,5 Millionen (Berlin)	1,8 Millionen (Wien)	142 000 (Bern)
Vorwahl	0049	0043	0041

b Suchen Sie nach ähnlichen Informationen über Ihr Heimatland.
Schreiben Sie einen kleinen Text und berichten Sie.

18 Sprachen und Zahlen

a Geben Sie die Informationen aus der Grafik wieder. Hören Sie den Beispielsatz.

1 (28) ▶ *Auf Platz 1 liegt Englisch.*
375 Millionen Menschen sprechen Englisch als Muttersprache.
Insgesamt sprechen 1,5 Milliarden Menschen Englisch.

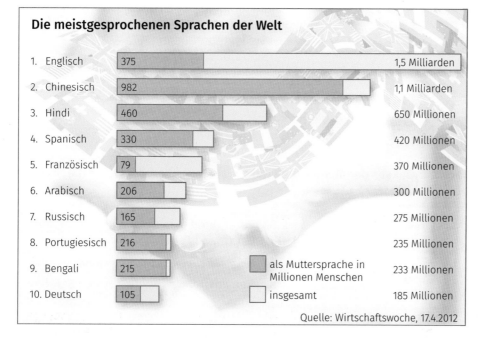

Die meistgesprochenen Sprachen der Welt

		als Muttersprache	insgesamt
1.	Englisch	375	1,5 Milliarden
2.	Chinesisch	982	1,1 Milliarden
3.	Hindi	460	650 Millionen
4.	Spanisch	330	420 Millionen
5.	Französisch	79	370 Millionen
6.	Arabisch	206	300 Millionen
7.	Russisch	165	275 Millionen
8.	Portugiesisch	216	235 Millionen
9.	Bengali	215	233 Millionen
10.	Deutsch	105	185 Millionen

als Muttersprache in Millionen Menschen
insgesamt

Quelle: Wirtschaftswoche, 17.4.2012

b Wie viele Menschen sprechen Ihre Sprache als Muttersprache? Wie viele
Menschen lernen Ihre Sprache? Suchen Sie nach Informationen im Internet
und berichten Sie.

19 Die liebe Familie

a Hören und lesen Sie.

1 🎧 29 Das sind Peter, Lucie, Sarah und Felix. Peter und Lucie sind die Eltern von Sarah und Felix. Sarah und Felix sind die Kinder von Peter und Lucie.

Das ist **Peter**, der Mann von Lucie. Peter arbeitet als Ingenieur bei Siemens. Seine Muttersprache ist Deutsch, er spricht auch Englisch und Französisch. Peter ist verheiratet. Er liebt seine Frau Lucie sehr. Peter kocht gern.

Das ist **Lucie**, die Frau von Peter. Lucie ist Französischlehrerin. Sie kommt aus Frankreich, ihre Muttersprache ist Französisch. Sie spricht auch sehr gut Deutsch und Italienisch. Sie liebt Peter sehr. Lucie liest gern Liebesromane.

Das ist **Sarah**, die Tochter von Peter und Lucie, die Schwester von Felix. Sie ist 13 Jahre alt und hört gern Popmusik. Sarah kocht auch gern, wie ihr Vater.

Das ist **Felix**, der Sohn von Peter und Lucie, der Bruder von Sarah. Er ist zehn Jahre alt und spielt gern Computerspiele. Felix spricht perfekt Französisch, wie seine Mutter.

Das sind Susanne und Ben. Susanne und Ben sind die Geschwister von Peter.

Das ist **Ben**, der Bruder von Peter, der Onkel von Sarah und Felix. Er arbeitet als Kommissar bei der Polizei. Ben ist geschieden und lebt jetzt allein in Köln. Ben spielt gern Gitarre.

Das ist **Susanne**. Sie ist die Schwester von Peter und die Tante von Sarah und Felix. Susanne ist ledig, sie lebt im Moment mit Edwin zusammen in Berlin. Sie ist Journalistin und schreibt viele Artikel.

b Lesen Sie die Texte laut.

20 Verwandte

a Wer ist wer? Ergänzen Sie. Arbeiten Sie zu zweit.

> ▪ die Tante ▪ die Kinder ▪ der Onkel ▪ der Mann ▪ die Eltern ▪ ~~Geschwister~~ ▪ die Frau ▪ die Schwester
> ▪ die Tochter ▪ der Sohn ▪ der Bruder *(2 x)*

▶ Sarah und Felix sind Geschwister.

1. Sarah und Felix sind .... von Peter und Lucie.

2. Susanne ist .... von Sarah und Felix.

3. Lucie ist .... von Peter.

4. Felix ist .... von Peter und Lucie.

5. Susanne ist .... von Peter.

6. Peter und Lucie sind .... von Sarah und Felix.

7. Felix ist .... von Sarah.

8. Ben ist .... von Sarah und Felix.

9. Sarah ist .... von Peter und Lucie.

10. Ben ist .... von Peter.

11. Peter ist .... von Lucie.

b Was passt zusammen? Ordnen Sie zu.

▶ die Schwester   ☑   ☐   a) die Eltern
1. die Frau   ☐   ☐   b) der Onkel
2. die Tante   ☐   ☑   c) der Bruder
3. die Kinder   ☐   ☐   d) der Vater
4. die Mutter   ☐   ☐   e) der Mann

21 Wer macht was?

Ergänzen Sie die Informationen aus Aufgabe 19. Arbeiten Sie zu zweit.
Vergleichen Sie Ihre Ergebnisse im Kurs.

1. **Familienstand**
  a) Susanne ist ledig, sie lebt jetzt mit Edwin ....
  b) Peter und Lucie sind ....
  c) Ben ist ...., er lebt ....

2. **Beruf**
  a) Peter arbeitet als ....
  b) Lucie ....
  c) Susanne ....
  d) Ben ....

3. **Sprachen**
  a) Peter spricht ....
      Seine Muttersprache ist ....
  b) Lucie spricht ....
      Ihre Muttersprache ist ....
  c) Felix spricht ....

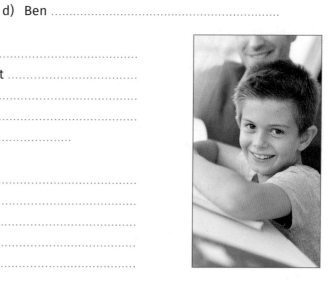

4. **Hobbys**
  a) Peter ....
  b) Lucie ....
  c) Sarah ....
  d) Felix ....
  e) Ben ....

22 Strukturen: Possessivartikel

Ergänzen Sie die Possessivartikel (aus Aufgabe 19).

Das ist Peter, seine Frau heißt Lucie. Peter arbeitet als Ingenieur bei Siemens. .... (1) Muttersprache ist Deutsch, er spricht auch Englisch und Französisch. Er liebt .... (2) Frau sehr. Lucie kommt aus Frankreich, ... (3) Muttersprache ist Französisch.

Peter und Lucie haben zwei Kinder. .... (4) Kinder heißen Sarah und Felix. Felix spricht perfekt Französisch, wie .... (5) Mutter. Lucie kocht gern, wie .... (6) Vater.

> ▶ **Strukturen**
>
> - ich → **mein** Bruder, **meine** Schwester
> - du → **dein** Bruder, **deine** Schwester
> - er → **sein** Bruder, **seine** Schwester
> - sie → **ihr** Bruder, **ihre** Schwester
> - Sie → **Ihr** Bruder, **Ihre** Schwester
>
> ---
> - der, das → mein, dein, …
> - die   → meine, deine, …

23 Partnerinterview: Wie heißen Sie?
a Formulieren Sie Fragen und antworten Sie.

	Frage	Antwort
Name	Wie heißen Sie?	Ich heiße … Mein Name ist …
Wohnort	Wo ....?	....
Adresse	Wie ist Ihre ....?	....
Familienstand	Sind Sie ....?	....
Beruf	Was ....?	....
Tätigkeit	Was machen Sie als ....?	....
Muttersprache	Was ist ....?	....
Sprachen	Welche .... noch?	....
Hobbys	Was ....?	....

b Berichten Sie.

▶ Meine Nachbarin/Mein Nachbar heißt …

24 Prominente Künstler
a Schreiben Sie einen kurzen Text. Arbeiten Sie zu zweit.

- Christoph Waltz: Schauspieler sein
- aus Österreich kommen
- heute in Los Angeles und Berlin wohnen
- Oscar- und Golden-Globe-Preisträger sein
- mit Quentin Tarantino arbeiten
- sein berühmtester Film: Inglorious Bastards
- verheiratet sein

▶ Christoph Waltz ist …

b Berichten Sie über eine bekannte Künstlerin/einen bekannten Künstler
in Ihrem Heimatland. Suchen Sie im Internet nach Informationen.

Name

Land

Beruf

Familienstand

Übungen zur Vertiefung und zum Selbststudium

Ü1 > **Was macht ein …?**
Ordnen Sie zu und bilden Sie Sätze.

• ~~Bilder malen~~ • Gäste
bedienen • Patienten
untersuchen • Kinder
unterrichten • viele
E-Mails schreiben •
Computerspiele ent-
wickeln • Projekte
präsentieren • Maschi-
nen konstruieren • viele
Bücher lesen

▷ Ein Künstler *malt Bilder.*
1. Ein Arzt ....
2. Eine Informatikerin ....
3. Ein Kellner ....
4. Eine Assistentin ....
5. Eine Studentin ....
6. Ein Ingenieur ....
7. Ein Architekt ....
8. Ein Lehrer ....

Ü2 > **Berufe und Tätigkeiten**
Bilden Sie Sätze. Achten Sie auf den Satzbau und das Verb.

▷ *Sabine • als Kellnerin • arbeiten*   *Sabine arbeitet als Kellnerin.*
1. *viele E-Mails • du • schreiben?*   ....
2. *Sie • was • beruflich • machen?*   ....
3. *ich • Bücher • gern • lesen*   ....
4. *meine Projekte • ich • auf Deutsch • präsentieren*   ....
5. *Beate und Philip • Journalistik • studieren*   ....
6. *Solarautos • Eva und Anton • konstruieren*   ....
7. *Manager und Ingenieure • viele Besprechungen • haben*   ....

Ü3 > **Rätsel: Gegenstände**
Wie heißt das Lösungswort? Schreiben Sie die Wörter mit großen Buchstaben.

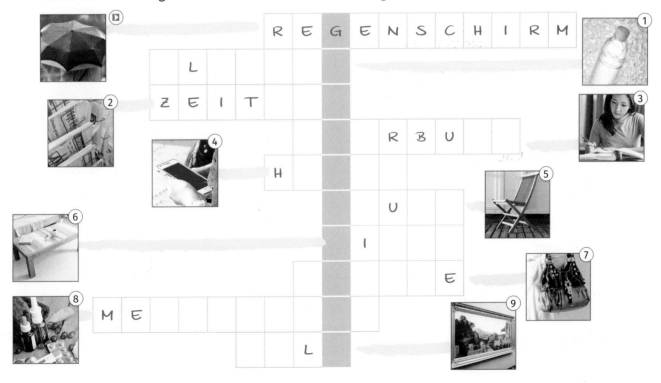

Ü4 〉 **Mein Laptop**
Ergänzen Sie den Possessivartikel.

- mein/meine
- dein/deine
- sein/seine
- ihr/ihre
- Ihr/Ihre

▶ ich: *mein* Laptop
1. du: .... Regenschirm
2. Maria: .... Handy
3. du: .... Zeitung
4. er: .... Uhr
5. Paul: .... Auto

6. der Chef: .... Schreibtisch
7. Sie: .... Tasche
8. sie: .... Tasse
9. ich: .... Brille
10. Sie: .... Stuhl
11. ich: .... Schlüssel

Ü5 〉 **Mein Name ist …**
Ergänzen Sie den Possessivartikel.

▶ ich: *Mein* Name ist Christian. *(der Name)*

1. Sie: Wie ist .... Name? *(der Name)*

2. er: Ist das .... Computer? *(der Computer)*

3. du: Was ist .... Hobby? *(das Hobby)*

4. sie: Wie ist .... Adresse? *(die Adresse)*

5. ich: .... Schwester ist Lehrerin. *(die Schwester)*

6. du: Was ist .... Muttersprache? *(die Muttersprache)*

7. Sie: Ist das .... Schlüssel? *(der Schlüssel)*

8. ich: Das ist .... Stift. *(der Stift)*

9. er: Wie ist .... Telefonnummer? *(die Telefonnummer)*

10. Sie: Was ist .... Autokennzeichen? *(das Autokennzeichen)*

Ü6 〉 **Gegenstände im Büro**
Nennen Sie den Singular oder den Plural.

Singular	Plural	Singular	Plural
das Buch	die Bücher	....	die Stühle
die Zeitung	....	....	die Taschen
der Computer	....	....	die Uhren
....	die Schlüssel	der Stift	....
....	die Autos	der Regenschirm	....
....	die Kalender	das Bild	....
....	die Brillen	....	die Medikamente
....	die Tassen	....	die Kaffeemaschinen
das Handy			die Laptops

Ü7 〉 **Zahlen**
Schreiben Sie die Zahlen.

▶ siebenundsiebzig   ~~77~~

1. achtzehn   ....
2. zweiunddreißig   ....
3. sechzehn   ....
4. siebzig   ....
5. dreiundachtzig   ....
6. einhundertfünf   ....

7. vierundfünfzig   ....
8. zweihunderteinunddreißig   ....
9. dreihundertneunundneunzig   ....
10. siebzehn   ....
11. vierzehn   ....
12. sechsunddreißig   ....
13. neunundvierzig   ....

Ü8 > Eins, zwei, drei …
Ergänzen Sie die fehlende Zahl.

▶	eins	⟶	zwei,	⟶	drei
1.	sieben	⟶	....	⟶	neun
2.	dreiundneunzig	⟶	....	⟶	fünfundneunzig
3.	siebzehn	⟶	....	⟶	neunzehn
4.	elf	⟶	....	⟶	dreizehn
5.	vierzig	⟶	....	⟶	sechzig
6.	fünfhundert	⟶	....	⟶	siebenhundert
7.	zweitausend	⟶	....	⟶	viertausend
8.	zehntausend	⟶	....	⟶	dreißigtausend

Ü9 > Länder und ihre Größe
Lesen Sie und schreiben Sie dann Sätze. Schreiben Sie die Zahlen in Ziffern.

Schweiz: Jungfraujoch

▶ Mexiko und Indonesien:
eins Komma neun Millionen km² (Quadratkilometer)
Mexiko ist so groß wie Indonesien.
Beide Länder haben eine Fläche von
1,9 Millionen km².

① Spanien und Thailand:
etwa fünfhundertzehntausend km²
....
....
....

② Österreich und die Vereinigten Arabischen Emirate:
dreiundachtzigtausend km²
....
....
....

③ Bosnien-Herzegowina und Costa Rica:
einundfünfzigtausend km²
....
....
....

④ die Schweiz und die Niederlande:
einundvierzigtausend km²
....
....
....

Ü10 > Telefonnummern
Hören und notieren Sie die Telefonnummern.

1 ⌢30 ▶ 0049 341 65 34 87

1. ....

2. ....

3. ....

4. ....

2 | Vertiefungsteil

Ü11 **Verwandte und Bekannte**
Wie heißt die weibliche Person?

▶	der Mann	die Frau
1.	der Sohn	die Tochter
2.	der Bruder	die Schwester
3.	der Onkel	die Tante
4.	der Vater	die Mutter
5.	der Freund	die Freundin

FREINDS = FREUNDE

Ü12 **Familienstand**
Ergänzen Sie: *verheiratet, ledig* oder *geschieden*.

1. Susanne lebt allein. Sie ist ..... ledig .....
2. Ben wohnt nicht mehr bei seiner Frau.
   Er ist .... geschieden ....
3. Peter und Lucie sind .... verheiratet .....
   Sie haben zwei Kinder.

Ü13 **Prominente Künstler**
Schreiben Sie einen kurzen Text.

- Annett Louisan
- Sängerin sein
- deutsche Lieder und Chansons singen
- heute in Hamburg leben
- verheiratet sein
- ihre CDs: großen Erfolg haben

Ü14 **An der Universität**
to fill in Ergänzen Sie den Dialog.

Julian: Hallo! Ich bin Julian. Und du?
Orsola: Ich bin Orsola.
Julian: Woher kommst du (1), Orsola?
Orsola: Aus Rom.
Julian: Das ist eine sehr schöne Stadt.
Orsola: Ja, Rom ist schön.
Julian: Was machst du (2) in Wien?
Orsola: Ich studiere Kunst.
Julian: ... ist ... (3) dein Studium auf Deutsch?
Orsola: Nein, auf Englisch.
Julian: Du sprichst aber gut Deutsch.
Wie lange lernst du (4) schon Deutsch?
Orsola: Zwei Jahre.
Julian: Welche Sprache sprichst du (5) noch?
Orsola: Ich spreche perfekt Italienisch. Das ist meine
Muttersprache. Ich spreche auch Französisch
und Englisch. Und du (6)?
Julian: Ich spreche Polnisch, Englisch und Deutsch.
Meine Mutter kommt aus Polen.
Orsola: Wirklich? Interessant!

Universität Wien

Wichtige Wörter und Wendungen

 Wiederholen Sie die Wörter und Wendungen.
Die Redemittel zum Hören und zweisprachige Übersichten finden Sie unter
http://www.schubert-verlag.de/spektrum.a1.dazu.php#K2

Berufe und Tätigkeiten

- Was sind Sie von Beruf?
- Was machen Sie beruflich?
- Ich bin Lehrer/Lehrerin.
- Ich unterrichte Kinder.
- Ich arbeite als Manager.
- Ich präsentiere viele Projekte.
- Ich bin beruflich oft in *(Polen)*.
- Die Kellnerin bedient Gäste.
- Der Künstler malt Bilder.
- Der Arzt untersucht Patienten.
- Die Assistentin schreibt viele E-Mails.
- Der Informatiker entwickelt Computerspiele.
- Die Ingenieurin konstruiert Solarautos.
- Knut ist Student.
- Sein Studium ist auf Deutsch.
- Er liest viele Bücher auf Englisch.
- Manager haben viele Besprechungen.

Zahlen

- Die Telefonnummer von Martina ist *(1234567)*.
- Mein Auto hat das Kennzeichen *(L–ZB 6168)*.
- Deutschland ist 357 375 km² groß.
- Österreich hat 8,7 Millionen Einwohner.
- In der Hauptstadt Wien wohnen 1,8 Millionen Menschen.
- 375 Millionen Menschen sprechen Englisch als Muttersprache.
- Deutsch liegt auf Platz 10.

Gegenstände *(Auswahl)*

- **maskuline Nomen** *(Artikel: der, ein, mein, kein)*
  - der Drucker ▪ der Stuhl ▪ der Tisch
  - der Kalender ▪ der Stift ▪ der Regenschirm
- **feminine Nomen** *(Artikel: die, eine, meine, keine)*
  - die Tasche ▪ die Tasse ▪ die Brille
  - die Uhr ▪ die Zeitung ▪ die Kaffeemaschine
- **neutrale Nomen** *(Artikel: das, ein, mein, kein)*
  - das Auto ▪ das Handy ▪ das Lehrbuch
  - das Bild ▪ das Medikament ▪ das Telefon

Angaben zur Person/Familie

- Ich bin ledig/verheiratet/geschieden.
- Peter hat *(zwei/keine)* Kinder.
- Ich wohne/lebe allein.
- Susanne wohnt mit Edwin zusammen.
- Das ist mein Mann/meine Frau,
  mein Bruder/meine Schwester,
  mein Sohn/meine Tochter,
  mein Onkel/meine Tante.

Verben im Kontext und Strukturen

> ### Verben des Kapitels
> Lesen Sie die Verben. Üben Sie die Verben am besten mit Beispielsatz.

Verb	Beispielsatz
• arbeiten	Ben arbeitet als Kommissar bei der Polizei.
• bedienen	Sabine bedient Gäste.
• entwickeln	Paul entwickelt Computerspiele.
• haben	Die Schweiz hat 8,4 Millionen Einwohner.
• konstruieren	Eva konstruiert Autos.
• leben	Ben lebt jetzt allein in Köln.
• lesen	Knut liest viele Bücher.
• lieben	Peter liebt seine Frau Lucie sehr.
• liegen	Englisch liegt auf Platz 1.
• malen	Ein Künstler malt Bilder.
• präsentieren	Herr Faber präsentiert oft Projekte.
• schreiben	Die Assistentin schreibt viele E-Mails.
• singen	Annett Louisan singt deutsche Lieder.
• studieren	Georg studiert Journalistik.
• suchen	Suchen Sie nach Informationen im Internet.
• unterrichten	Frau Keller unterrichtet Kinder.
• untersuchen	Dr. Klein untersucht Patienten.

> ### Verben mit Besonderheiten

to teach (handwritten above "unterrichten") · *to develop* (handwritten above "entwickeln")

		lesen	unterrichten	arbeiten	entwickeln	haben
Singular	ich	lese	unterrichte	arbeite	entwickle	habe
	du	liest	unterrichtest	arbeitest	entwickelst	hast
	er/sie	liest	unterrichtet	arbeitet	entwickelt	hat
Plural	wir	lesen	unterrichten	arbeiten	entwickeln	haben
	ihr	lest	unterrichtet	arbeitet	entwickelt	habt
	sie	lesen	unterrichten	arbeiten	entwickeln	haben
formell	Sie	lesen	unterrichten	arbeiten	entwickeln	haben

> ### Nomen und Artikel

	Singular			Plural
	maskulin	feminin	neutral	
bestimmter Artikel	der Drucker	die Tasche	das Auto	die Bücher
unbestimmter Artikel	ein Drucker	eine Tasche	ein Auto	–– Bücher
negativer Artikel	kein Drucker	keine Tasche	kein Auto	keine Bücher

❯ Possessivartikel

			Singular		Plural	
			maskulin	feminin	neutral	
Singular	ich	und	mein Stift	meine Tasche	mein Auto	meine Bücher
	du	und	dein Stift	deine Tasche	dein Auto	deine Bücher
	er	und	sein Stift	seine Tasche	sein Auto	seine Bücher
	sie	und	ihr Stift	ihre Tasche	ihr Auto	ihre Bücher
Plural	sie	und	ihr Stift	ihre Tasche	ihr Auto	ihre Bücher
formell	Sie	und	Ihr Stift	Ihre Tasche	Ihr Auto	Ihre Bücher

❯ Nomen: Singular und Plural

Singular	Plural	
die Lampe die Zeitung	die Lampen die Zeitungen	▸ Endung: -(e)n
der Tisch der Stuhl	die Tische die Stühle	▸ Endung: -e (+ Umlaut)
der Drucker der Apfel	die Drucker die Äpfel (s. Kap. 5)	▸ Endung: – (+ Umlaut)
das Handy der Laptop	die Handys die Laptops	▸ Endung: -s
das Bild das Buch	die Bilder die Bücher	▸ Endung: -er (+ Umlaut)

❯ Präpositionen

auf	Tereza liest Bücher **auf** Deutsch.
für	Die Vorwahl **für** Deutschland ist 0049.
von	Das ist die Tasche **von** Gabi.
als	Peter arbeitet **als** Manager.

❯ Adverbien und Adjektive

oft	Ich bin beruflich **oft** in Polen.
ein bisschen/gut/ sehr gut/perfekt	Ich spreche **ein bisschen/gut/sehr gut/perfekt** Deutsch.

❯ Vergleiche

wie	Die Schweiz ist so groß **wie** die Niederlande.

Kleiner Abschlusstest

Was können Sie schon? Testen Sie sich selbst.

T1 > Tätigkeiten
Ergänzen Sie die Verben in der richtigen Form.

.........../6

- ~~arbeiten~~
- ~~präsentieren~~
- ~~unterrichten~~
- ~~schreiben~~
- sein
- ~~malen~~
- entwickeln

▶ Herr Keller unterrichtet Kinder.
1. Ich *schreibe* viele E-Mails.
2. Otto Wichtig *arbeitet* als Manager.
3. Er *präsentiert* oft Projekte.
4. Die Künstlerin *malt* Bilder.
5. Knut *ist* Student.
6. Der Informatiker *entwickelt* Computerspiele.

T2 > Nomen
a Was ist im Büro? Ergänzen Sie.

.........../6

Im Büro ist ...

▶ ein Computer
1. ein St*u*hl
2. ein T*i*sch
3. eine L*a*mpe
4. ein Tele*fon*

5. ein *S*tift
6. eine Br*i*lle
7. ein Bilds*chirm*
8. ein Kal*en*der

b Wie heißt die männliche Person?

1. die Schwester ▪ der *Bruder*
2. die Tochter ▪ der *Sohn*

3. die Mutter ▪ der *Vater*
4. die Tante ▪ der *Onkel*

T3 > Informationen
Ergänzen Sie das Possessivpronomen.

.........../4

▶ Sie: Wie ist Ihr Name? *(der Name)*
1. du Wie ist *deine* Adresse? *(die Adresse)*
2. Max: Wie ist *seine* Telefonnummer? *(die Telefonnummer)*
3. Sie: Was sind *ihre* Hobbys? *(die Hobbys, Pl.)*
4. sie: Was ist *ihre* Muttersprache? *(die Muttersprache)*

T4 > An der Universität
Ergänzen Sie die Sätze.

.........../4

▶ *(Juan)* A: Hallo, ich bin Juan. Und du?
(Eva) B: Ich bin Eva.
A: Woher kommst du, Eva?
1. *(Schweden)* B: Ich komme aus Schweden
A: Was machst du hier in Leipzig?
2. *(Journalistik studieren)* B: Ich studiere Journalistik
A: Interessant. Ist dein Studium auf Deutsch?
3. *(aber auch viele Bücher* B: Ja, es ist auf Deutsch. Aber, ich ~~viele~~ lese
auf Englisch lesen) viele Bücher auf Englisch.
4. *(welche Sprachen sprechen)* A: Welche Sprache sprichst du?
B: Ich spreche Spanisch, Englisch und Deutsch.

In der Stadt

Etwas im Café bestellen und bezahlen
> *Ich trinke/nehme/möchte bitte …*

Über die Arbeit und die Familie sprechen
> *Ich wohne in … ▪ arbeite als … ▪ bin Single.*

Wichtige Orte/Gebäude in einer Stadt benennen
> *Bank ▪ Bahnhof ▪ Supermarkt …*

Berichten, wo man war
> *Ich war schon mal in …*

Ein Hotelzimmer buchen
> *Haben Sie noch ein Zimmer frei?*

Ein Formular mit persönlichen Angaben ausfüllen
> *Vorname ▪ Familienname ▪ Adresse …*

Eine kurze E-Mail über eine Reise schreiben
> *Hallo Klaus, ich bin gerade in …*

An die Touristeninformation schreiben
> *Sehr geehrte Damen und Herren, ich möchte nach … fahren und brauche ein paar Informationen.*

Einen Text über Frankfurt verstehen
> *Frankfurt ist … ▪ Die Stadt hat …*

1 Was machen die Leute in der Stadt?

a Hören und lesen Sie.

①

Emma und Hilde trinken Kaffee.

②

Sie essen Schokoladenkuchen.

③

Sie bezahlen für Kaffee
und Kuchen 8,60 Euro.

④

Andreas ist beruflich in Frankfurt.
Er besucht eine Konferenz.

⑤

Andreas und Petra reden über
ihre Arbeit und ihre Familie.

⑥

Sie gehen zusammen ins Museum.
Der Lieblingsmaler von Andreas
ist Claude Monet.

⑦

Andreas liest einige Informationen
über Frankfurt.

⑧

Er sucht ein Hotelzimmer.

⑨

Er übernachtet im Hotel Europa.

b Was passt zusammen? Ordnen Sie zu.

  Kaffee ☐ ──────────────── ☐ a) reden
1. Schokoladenkuchen ☐   ☐ b) übernachten
2. 8,60 Euro ☐ ────────────►☒ c) trinken
3. eine Konferenz ☐   ☐ d) bezahlen
4. über die Arbeit und die Familie ☐   ☐ e) suchen
5. ins Museum ☐   ☐ f) essen
6. ein Hotelzimmer ☐   ☐ g) gehen
7. im Hotel ☐   ☐ h) lesen
8. Informationen über Frankfurt ☐   ☐ i) besuchen

2 Im Café

a Hören und lesen Sie den Dialog.

1 (32)

Hilde: Hallo Emma.

Emma: Hallo Hilde. Wie geht es dir?

Hilde: Danke, gut. Und wie geht es dir?

Emma: Danke, auch gut. Dort ist ein Tisch frei …

Hilde: Ich brauche jetzt einen Kaffee. Und du? Was möchtest du trinken?

Emma: Hm, ich trinke vielleicht einen Tee oder einen Orangensaft oder vielleicht auch einen Kaffee …

Kellner: Was möchten Sie trinken?

Hilde: Ich möchte gern einen Kaffee.

Emma: Ich nehme einen Tee … nein, lieber einen Kaffee … nein, ich trinke ein Mineralwasser.

Kellner: Einmal Kaffee und einmal Wasser. Ist das alles?

Emma: Ach nein, ich nehme doch lieber einen Kaffee.

Kellner: Also zwei Kaffee. Mit Milch und Zucker?

Hilde: Mit Milch und ohne Zucker. Ich nehme noch ein Stück Schokoladenkuchen.

Kellner: Möchten Sie auch ein Stück Schokoladenkuchen?

Emma: Nein, danke.

Hilde: Möchtest du wirklich keinen Schokoladenkuchen?

Emma: Ach doch, ich nehme auch ein Stück.

> **Redemittel**
>
> - Wie geht es dir? *(informell)*
>   Wie geht es Ihnen? *(formell)*
>   – Danke, gut.

Hilde: Wir möchten gern zahlen.

Kellner: Zusammen oder getrennt?

Hilde: Zusammen.

Emma: Getrennt.

Hilde: Zusammen. Ich zahle heute.

Emma: Oh, vielen Dank, Hilde.

Kellner: Zwei Kaffee und zwei Schokoladenkuchen, das macht 8,60 Euro.

Hilde: Bitte.

Kellner: Vielen Dank. Auf Wiedersehen.

b Bilden Sie Dreiergruppen. Lesen Sie den Dialog laut.

3   Etwas bestellen und bezahlen
a Etwas bestellen. Spielen Sie den Dialog. Tauschen Sie die Rollen.

Kellner			Gast
Was möchten Sie trinken?	**A**	**B**	Ich möchte bitte einen Kaffee.
Mit Milch und Zucker?	**A**	**B**	Mit viel Milch und ohne Zucker.
Ist das alles?	**A**	**B**	Nein, ich nehme noch … *(einen Orangensaft ▪ ein Wasser ▪ eine Limonade)*
Also einen Kaffee mit Milch und …	**A**	**B**	Ja, bitte. Wie viel kostet ein Stück Käsekuchen?
Ein Stück Käsekuchen kostet 2,60 Euro.	**A**	**B**	Dann nehme ich auch noch ein Stück Käsekuchen.
Gerne. Vielen Dank.	**A**		

b Etwas bezahlen. Spielen Sie den Dialog.
Tauschen Sie die Rollen.

A: Wir möchten gern zahlen.

B: Zusammen oder getrennt?

A: Zusammen.

B: Das macht zusammen 8,60 Euro.

▸ **Redemittel**

▪ gern = gerne
▪ zahlen = bezahlen

8,60 Euro
▪ Wir sagen: acht Euro sechzig

4   Preise
Fragen und antworten Sie. Tauschen Sie die Rollen.

A: Was kostet der Kaffee? ⟶ B: Der Kaffee kostet 1,50 Euro.
B: Was kostet … ⟶ A: …

der Kaffee 		das Bier ①	
der Tee ②		die Suppe ③	
die Cola, die Limonade ④		das Brötchen ⑤	
der Saft, der Orangensaft ⑥		der Kuchen, das Stück Kuchen ⑦	
das Wasser, das Mineral- wasser ⑧		die Currywurst ⑨	

Kleine Karte

Warme Getränke
Kaffee	1,50 €
Espresso	2,20 €
Latte Macchiato	2,50 €
Tee	1,80 €

Alkoholfreie Getränke
Mineralwasser (0,25 l)	2,50 €
Orangensaft	2,70 €
Cola	2,60 €
Limonade	2,60 €

Alkoholische Getränke
Bier (Pilsner)	2,80 €

Snacks
Suppe des Tages	4,10 €
Currywurst	3,90 €
Brötchen mit Käse	3,20 €
Schokoladenkuchen	2,80 €
Käsekuchen	2,60 €

5 Strukturen: Der Akkusativ

a Ergänzen Sie die Artikel aus dem Dialog in Aufgabe 2.

▶ Ich brauche jetzt *einen* Kaffee.

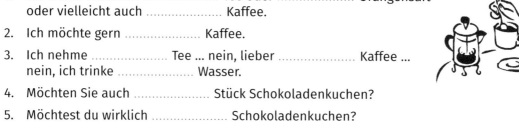

1. Ich trinke vielleicht .... Tee oder .... Orangensaft oder vielleicht auch .... Kaffee.

2. Ich möchte gern .... Kaffee.

3. Ich nehme .... Tee ... nein, lieber .... Kaffee ... nein, ich trinke .... Wasser.

4. Möchten Sie auch .... Stück Schokoladenkuchen?

5. Möchtest du wirklich .... Schokoladenkuchen?

b Lesen Sie die Beispielsätze.

Ich Mein Mann Der Chef Paul	brauche möchte nimmt trinkt	jetzt **einen** Kaffee. **einen** Tee. **ein** Wasser. **eine** Limonade.
↓	↓	↓
Subjekt im Nominativ	**Verb**	**Ergänzung im Akkusativ**

c Ergänzen Sie die Endungen.

	Singular			Plural
	maskulin	feminin	neutral	
Nominativ	der Kaffee ein Kaffee kein Kaffee	die Limonade eine Limonade keine Limonade	das Wasser ein Wasser kein Wasser	die Limonaden -- Limonaden keine Limonaden
Akkusativ	den Kaffee ein...... Kaffee kein...... Kaffee	die Limonade ein...... Limonade kein...... Limonade	das Wasser ein Wasser kein Wasser	die Limonaden -- Limonaden keine Limonaden

6 Partnerarbeit

a Was nehmen Sie?

Was *nehmen, möchten, essen, trinken* Sie? Ergänzen Sie *ein*, *eine* oder *einen*. Arbeiten Sie zu zweit.

▶ *(der Kaffee)*   Ich nehme   *einen*   Kaffee.

1. *(die Limonade)*   Ich trinke .... Limonade.

2. *(die Suppe)*   Ich esse .... Suppe.

3. *(der Tee)*   Ich möchte .... Tee.

4. *(das Brötchen)*   Ich esse .... Brötchen.

5. *(der Schokoladenkuchen)*   Ich nehme .... Schokoladenkuchen.

6. *(der Orangensaft)*   Ich trinke .... Orangensaft.

7. *(das Mineralwasser)*   Ich möchte .... Mineralwasser.

8. *(das Bier)*   Ich nehme .... Bier.

9. *(die Cola)*   Ich trinke .... Cola.

10. *(die Currywurst)*   Ich esse .... Currywurst.

b Was brauchen Sie?
Schreiben Sie Sätze wie im Beispiel und spielen Sie einen Dialog.

▶ *(der Stift)*   **A:** Ich brauche *einen Stift*. ⟶ **B:** Ich habe *keinen Stift*.
1. *(die Brille)*   **B:** Ich brauche .... **A:** Ich habe ....
2. *(das Handy)*   **A:** .... **B:** ....
3. *(die Tasche)*   **B:** .... **A:** ....
4. *(die Uhr)*   **A:** .... **B:** ....
5. *(der Computer)*   **B:** .... **A:** ....
6. *(der Regenschirm)*   **A:** .... **B:** ....
7. *(das Lehrbuch)*   **B:** .... **A:** ....
8. *(der Drucker)*   **A:** .... **B:** ....

c Wie findest du …?
Schreiben Sie Sätze wie im Beispiel und spielen Sie einen Dialog.

▶ *(der Stift ▪ schön)*   **A:** Wie findest du *den Stift*?
                            B: Er ist *schön*.

1. *(die Brille ▪ schön)*   **B:** Wie findest ....?
                                  A: Sie ....
2. *(der Kuchen ▪ lecker)*   **A:** ....?
                                  B: ....
3. *(das Auto ▪ schön)*   **B:** ....?
                                  A: ....
4. *(das Buch ▪ gut)*   **A:** ....?
                                  B: ....
5. *(der Tisch ▪ schön)*   **B:** ....?
                                  A: ....
6. *(die Uhr ▪ schön)*   **A:** ....?
                                  B: ....
7. *(das Brötchen ▪ lecker)*   **B:** ....?
                                  A: ....
8. *(die Suppe ▪ lecker)*   **A:** ....?
                                  B: ....

> **Strukturen**
>
> **Personalpronomen**
> ▪ der Stift = er
> ▪ die Brille = sie
> ▪ das Auto = es

7 Strukturen: *möchte-*
a Möchtest du etwas trinken?
Schreiben Sie Sätze wie im Beispiel und spielen Sie einen Dialog.

▶ *(der Kaffee ▪ das Bier)*
    A: <u>Möchtest</u> du einen Kaffee <u>trinken</u>?
    B: Nein, ich <u>möchte</u> keinen Kaffee. Ich <u>trinke</u> lieber ein Bier.
1. *(der Orangensaft ▪ das Mineralwasser)*
    B: Möchtest du ....?
    A: Nein, ich .... Ich trinke lieber ....
2. *(die Cola ▪ der Apfelsaft)*
    A: ....?
    B: ....
3. *(der Eistee ▪ der Kaffee mit Milch)*
    B: ....?
    A: ....
4. *(das Bier ▪ der Tee)*
    A: ....?
    B: ....

b Möchtest du etwas essen?
Schreiben Sie Sätze wie im Beispiel und spielen Sie einen Dialog.

▶ **Strukturen**

essen
- ich esse
- du isst
- er/sie isst
- sie/Sie essen

▶ (das Schnitzel ▪ der Salat)

A: Möchtest du ein Schnitzel essen?

B: Nein, ich möchte kein Schnitzel. Ich esse lieber einen Salat.

1. (die Currywurst ▪ die Suppe)

B: Möchtest du ....?

A: Nein, ich ....
Ich esse lieber ....

2. (das Brötchen mit Käse ▪ der Apfel)

A: ....?

B: ....
....

▶ **Strukturen**

Wünsche
- ich möchte
- du möchtest
- er/sie möchte
- sie/Sie möchten

3. (die Pizza ▪ das Stück Schokoladenkuchen)

B: ....?

A: ....
....

4. (die Suppe ▪ das Schnitzel)

A: ....?

B: ....
....

c Lesen Sie die Beispielsätze.

1. Möchten Sie zahlen?
Möchtest du einen Kaffee trinken? ⟶ möchte- *mit Verb im Infinitiv*

2. Nein, ich möchte keinen Kaffee. ⟶ möchte- *ohne Verb im Infinitiv*

8 Strukturen: Satzbau
a Lesen Sie die Beispielsätze und ergänzen Sie die Regeln.

▷ **A: Positionen im Satz: Das Verb**

Position 1	Position 2	Mittelfeld	Satzende
Wir	möchten	gern	zahlen.
Möchtest	du	auch einen Kaffee	trinken?

▸ Das konjugierte Verb steht auf Position ..... oder 1. Der Infinitiv steht am ....

▷ **B: Positionen im Satz: Das Subjekt**

Position 1	Position 2	Mittelfeld	Satzende
Klaus	möchte	**heute** einen Kräutertee	trinken.
Heute	möchte	**Klaus** einen Kräutertee	trinken.

▸ Das Subjekt steht oft auf Position ....., manchmal auf Position 3.

b Bilden Sie Sätze. Achten Sie auf die Verben.

▶ was ▪ ihr ▪ essen ▪ möchte-? Was möchtet ihr essen?

1. möchte- ▪ einen Kaffee ▪ trinken ▪ Sie? ....

2. Otto ▪ kein Schnitzel ▪ möchte- ▪ heute ▪ essen ....

3. wir ▪ keinen Tee ▪ trinken ▪ möchte- ....

9 Ein Treffen auf der Straße

a Hören Sie den Dialog. Ergänzen Sie *Petra* oder *Andreas*.

 ▶ *Andreas* wohnt in Basel.
1. .... ist beruflich in Frankfurt.
2. .... war noch nie in Basel.
3. .... besucht eine Konferenz in Frankfurt.
4. .... ist verheiratet und hat einen Sohn.
5. .... ist Single.
6. .... arbeitet bei der Deutschen Bank.
7. .... präsentiert morgen ein Projekt.
8. .... möchte gern ins Museum gehen.

b Hören Sie den Dialog noch einmal und lesen Sie.

Andreas:	Hallo Petra.
Petra:	Hallo Andreas, so eine Überraschung! Was machst du hier in Frankfurt?
Andreas:	Ich bin beruflich hier. Ich besuche eine Konferenz.
Petra:	Du wohnst doch jetzt in der Schweiz, oder?
Andreas:	Ja, ich wohne in Basel. Meine Frau arbeitet dort als Ärztin. Warst du schon mal in Basel?
Petra:	Nein. Ich war schon in Bern, aber ich war noch nicht in Basel. Hast du auch Kinder?
Andreas:	Ja, ich habe einen Sohn. Er heißt Paul und ist drei Jahre alt. Und du? Bist du verheiratet?
Petra:	Nein, ich bin Single. Ich wohne hier im Zentrum von Frankfurt und arbeite viel.

> ▶ **Redemittel**
>
> - So eine Überraschung!
> - Ja, das stimmt!
> - Prima Idee!

Andreas:	Wo arbeitest du?
Petra:	Ich arbeite bei der Deutschen Bank als Datenanalystin. Wo ist deine Konferenz?
Andreas:	Im Konferenzzentrum. Ich habe heute frei. Mein Projekt präsentiere ich morgen.
Petra:	Möchtest du etwas essen?
Andreas:	Ja, ein Schnitzel. Und ich möchte gern ins Museum gehen.
Petra:	In Frankfurt gibt es das Städel Museum. Das Museum ist sehr berühmt. Dort hängen Bilder aus 700 Jahren Malerei, auch Bilder von Claude Monet. Das war doch früher dein Lieblingsmaler!
Andreas:	Ja, das stimmt! Er ist auch heute noch mein Lieblingsmaler.
Petra:	Dann essen wir jetzt ein Schnitzel und danach gehen wir ins Museum.
Andreas:	Prima Idee! Das machen wir!

c Lesen Sie den Dialog laut. Tauschen Sie die Rollen.

d Intonation

Hören Sie den kurzen Dialog. Lesen Sie dann den Dialog laut. Tauschen Sie die Rollen.

 1

Hallo Andreas, so eine Überraschung! Was machst du hier?

In Frankfurt gibt es das Städel Museum. Dort hängen Bilder von Claude Monet. Das war doch früher dein Lieblingsmaler!

Dann gehen wir jetzt ins Museum.

Ich besuche eine Konferenz. Heute habe ich frei. Ich möchte gern ins Museum gehen.

Ja, das stimmt! Er ist auch heute noch mein Lieblingsmaler.

Prima Idee! Das machen wir!

e Ergänzen Sie die Informationen aus b).

Andreas	wohnt in ....
	Er besucht eine .... in Frankfurt.
	Er ist .... und hat ....
	Seine Frau arbeitet als ....

Petra	wohnt ....
	Sie ist ....
	Sie arbeitet ....

Andreas und Petra möchten zusammen

.... und

....

10 Partnerarbeit: In Frankfurt

Bilden Sie Sätze. Arbeiten Sie zu zweit. Achten Sie auf das Verb und den Satzbau.

▷ *was ▪ Andreas ▪ in Frankfurt ▪ machen?*   *Was macht Andreas in Frankfurt?*

1. *beruflich ▪ hier ▪ er ▪ sein* ....

2. *er ▪ eine Konferenz ▪ besuchen* ....

3. *morgen ▪ Andreas ▪ ein Projekt ▪ präsentieren* ....

4. *heute ▪ er ▪ ins Museum ▪ gehen ▪ möchte-* ....

5. *der Lieblingsmaler von Andreas ▪ Claude Monet ▪ sein* ....

11 Klassenspaziergang: Wer ist dein Lieblingsmaler?

a Sprechen Sie mit vielen Teilnehmern. Stellen Sie drei Fragen.

Fragen

▪ Wer ist dein/Ihr Lieblingsmaler?
Wer ist deine/Ihre Lieblingsmalerin?

▪ Wer ist dein/Ihr Lieblingsautor?
Wer ist deine/Ihre Lieblingsautorin?

▪ Wer ist dein/Ihr Lieblingssänger?
Wer ist deine/Ihre Lieblingssängerin?

▪ Was ist dein/Ihr Lieblingsfilm?

▪ Was ist dein/Ihr Lieblingsbuch?

▪ Was ist deine/Ihre Lieblingsstadt?

▪ Was ist dein/Ihr Lieblingsmuseum?

Antworten

▪ Mein Lieblingsmaler/Meine Lieblingsautorin/ Mein Lieblingsmuseum ist …

▪ Ich weiß es nicht./Ich habe viele Lieblingsmaler/Lieblingsautoren/Lieblingsmuseen.

▪ Ich habe keinen Lieblingsmaler/keine Lieblingsautorin/kein Lieblingsmuseum.

b Berichten Sie.

▷ Der Lieblingsmaler von Alexander ist Vincent van Gogh.
Die Lieblingsstadt von Olga ist London.

Vincent van Gogh: Weizenfeld mit Raben (1890)

12 Strukturen: Präteritum von *sein*

a Lesen Sie die Sätze aus dem Dialog in Aufgabe 9 und unterstreichen Sie die Verben.

Basel: Mittlere Rheinbrücke

Warst du schon mal in Basel?

Nein. Ich war schon in Bern, aber ich war noch nicht in Basel.

Bern: Zähringerbrunnen

b Lesen Sie die Beispielsätze.

Heute: Gegenwart	Ich **bin** in Frankfurt.	▸ Präsens
Gestern: Vergangenheit	Ich **war** in Frankfurt.	▸ Präteritum

c Ergänzen Sie *sein* im Präsens und Präteritum.

Präsens		Präteritum		Präsens		Präteritum	
ich	**bin**	ich	....	wir	**sind**	wir	**waren**
du	....	du	....	ihr	**seid**	ihr	**wart**
er/sie/es	....	er/sie/es	**war**	sie/Sie	....	sie/Sie	**waren**

13 Dialoge: Städte

Spielen Sie einen Dialog.
Fragen Sie nach zwei Städten in Deutschland, zwei Städten in Österreich und zwei Städten in der Schweiz.

A: Warst du/Waren Sie schon mal in München?

▸ **Redemittel**
- Ist es schön in ...?
  – Keine Ahnung!

B: Ja, da war ich schon.

A: Wie war es?

B: Es war herrlich/ schön/kalt/warm.

B: Nein, da war ich noch nicht. Ist es schön in München?

A: Ja, es ist wunderschön./ Keine Ahnung. Ich war auch noch nicht in München.

München: Marienplatz

Die beliebtesten Städte*

in Deutschland	in Österreich	in der Schweiz
1. Berlin	1. Wien	1. Bern
2. München	2. Salzburg	2. Luzern
3. Hamburg	3. Innsbruck	3. Zürich
4. Dresden	4. Graz	4. Lugano
5. Frankfurt	5. Linz	5. Basel

*nach Umfragen unter Touristen in Deutschland, Österreich und der Schweiz

14 Was es in einer Stadt alles gibt
a Hören und lesen Sie die Wörter. Welche Wörter kennen Sie?

▪ die Touristeninformation	▪ das Restaurant	▪ der Supermarkt
▪ das Kunstmuseum	▪ der Parkplatz	▪ die Bank
▪ der Bahnhof	▪ die Apotheke	▪ das Kino
▪ das Hotel	▪ das Café	▪ die Bibliothek

b Was sucht Andreas in der Stadt? Antworten Sie wie im Beispiel.

Andreas möchte ...	**Er sucht ...**
▶ Geld abheben.	*eine Bank.*
1. Informationen über Frankfurt.	*die* ....
2. Medikamente kaufen.	*eine* ....
3. Schokoladenkuchen essen.	....
4. sein Auto parken.	....
5. zwei Flaschen Wasser kaufen.	....
6. Bilder von Claude Monet sehen.	....
7. ein Schnitzel essen.	....
8. eine Fahrkarte kaufen.	*den* ....
9. in Frankfurt übernachten.	....
10. einen Film sehen.	....

c Schreiben Sie Sätze wie im Beispiel. Arbeiten Sie zu zweit.

▶ *ich ▪ eine Apotheke → Medikamente*
Ich suche eine Apotheke. Ich möchte Medikamente kaufen.

1. *Otto ▪ eine Bank → Geld*
Otto sucht eine Bank. Er möchte geld abheben

2. *Emma und Hilde ▪ ein Café → Schokoladenkuchen*
Emma und Hilde suchen ein café. Sie möchten Schokoladenkuchen essen.

3. *Dr. Sander ▪ einen Parkplatz → sein Auto*
Dr. Sander sucht einen Parkplatz. Er möchte sein Auto parken

4. *ich ▪ einen Supermarkt → zwei Flaschen Wasser*
Ich suche einen Supermarkt. Ich möchte zwei flasten wasser

5. *wir ▪ den Bahnhof → zwei Fahrkarten*
Wir suchen den Bahnhof. Wir zwei fahrkarten kaufen möchten.

6. *ich ▪ ein Restaurant → ein Schnitzel*
Ich suche ein Restaurant. Ich möchte ein Schnitzel essen.

7. *Andreas ▪ ein Hotel → in Frankfurt*
Andreas sucht ein Hotel. Er möchte in frankfurt übernachten.

8. *wir ▪ ein Kino → einen Film*
Wir suchen ein Kino. Wir möchten einen film sehen

9. *ich ▪ ein Museum → Bilder von Vincent van Gogh*
Ich suche ein museum. Ich möchte bilder sehen.

10. *Luise ▪ die Touristeninformation → ein Buch über Frankfurt*
Luise sucht die Touristeninformation. Sie möchte ein Buch Frankfurt kaufen

15 Im Hotel

a Hören und lesen Sie den Dialog.

Rezeptionist:	Guten Tag. Herzlich willkommen im Hotel Europa.
Andreas:	Guten Tag, ich möchte bitte ein Einzelzimmer.
Rezeptionist:	Haben Sie eine Reservierung?
Andreas:	Nein, ich habe keine Reservierung.
Rezeptionist:	Ist das Zimmer für eine Nacht?
Andreas:	Ja, für eine Nacht.
Rezeptionist:	Moment bitte. Ja. Wir haben noch ein Einzelzimmer für Sie.
Andreas:	Was kostet das Zimmer?
Rezeptionist:	Das Zimmer kostet 80 Euro pro Nacht.

Andreas:	Mit Frühstück?
Rezeptionist:	Nein, der Preis ist ohne Frühstück. Das Frühstück kostet 15 Euro extra.
Andreas:	Gut. Ich nehme das Zimmer. Gibt es WLAN?
Rezeptionist:	Natürlich. Der Code steht hier auf der Zimmerkarte. Ich brauche noch Ihre persönlichen Angaben hier auf dem Formular. Wie zahlen Sie? Bar oder mit Kreditkarte?
Andreas:	Mit Kreditkarte.
Rezeptionist:	Hier ist Ihre Zimmerkarte, das ist der Code für das WLAN. Ihre Zimmernummer ist die 302.
Andreas:	Vielen Dank.
Rezeptionist:	Schönen Aufenthalt!

b Lesen Sie den Dialog laut. Tauschen Sie die Rollen.

16 Ein Hotelzimmer buchen

Spielen Sie einen Dialog. Tauschen Sie die Rollen.

Guten Tag. **A**
Haben Sie noch ein Zimmer frei?

B Ja, möchten Sie ein Einzelzimmer?

Ja, gerne./Nein, ich möchte **A**
ein Doppelzimmer.

B Wie lange möchten Sie bleiben?

Eine Nacht/… Nächte. **A**
Hat das Zimmer WLAN?

B Ja, alle Zimmer haben WLAN.

Wie viel/Was kostet **A**
das Zimmer?

B … Euro pro Nacht.

Ist der Preis mit Frühstück? **A**

B Ja./Nein, das Frühstück kostet … extra.

Gut, ich nehme **A**
das Zimmer.

B Wie zahlen Sie?

Bar./Mit Kreditkarte. **A**

B Ich brauche noch Ihre persönlichen Angaben.

17 Formulare und persönliche Angaben
a Ergänzen Sie das Anmeldeformular im Hotel von Andreas Müller.

Anmeldung

Hotel Europa

Zimmer-Nr. 302		Anreisetag 15.6.
Anzahl Personen 1		Abreisetag 16.6.

Herr/Frau
Familienname | Vorname
Müller | ....

Geburtsort | Geburtsdatum | Staatsangehörigkeit
.... | .... | ....

Adresse
Postleitzahl | Wohnort | Straße, Hausnummer
.... | .... | ....

Telefon | E-Mail
.... | ....

Datum | Unterschrift
.... | Müller

Andreas Müller
24.5.1983 in Berlin
deutsch
Steinengraben 61
4051 Basel
+41 61 846 53 92
andreas.mueller@bluewin.ch

b Welche Angaben sind das? Ergänzen Sie die Nomen aus a).

Otto	Vorname
Witzigmann	....
25.6.1980	....
München	....
deutsch	....

81667 München	....
Steinstraße 5	....
089 6453425	....
owitz@me.com	....

18 Phonetik: Umlaut *ü*
a Hören Sie und lesen Sie laut.

 1 37

▪ über ▪ fünf ▪ Bücher ▪ Schlüssel ▪ Stühle ▪ Überraschung ▪ Grüße
▪ Künstler ▪ Zürich ▪ München ▪ übernachten ▪ Frühstück

▶ **Tipp**

Im Wörterbuch ist der **betonte Vokal** markiert:
▪ a̩rbeiten (kurzer Vokal)
▪ le̱sen (langer Vokal)

b Der kurze und der lange *ü*-Laut
Hören Sie und markieren Sie die Länge wie im Beispiel.

 1 38 ➤ *über* [y:] und *fünf* [ʏ]

lang [y:]	kurz [ʏ]
▪ Frankfurt ist über 1 200 Jahre alt.	▪ Ich möchte ein Stück Kuchen, bitte.

▪ Ich lese Bücher über Frankfurt. ▪ Liebe Grüße aus München.
▪ Wir übernachten im Hotel. ▪ Ich bin Künstler und wohne in Zürich.
▪ Das Frühstück kostet extra. ▪ Ich habe fünf Schlüssel.
▪ So eine Überraschung!

c *ü*-Laute [y:] – [ʏ] oder *i*-Laute [i:] – [i]?
Was hören Sie? Ergänzen Sie *ü* oder *ie/i*.

1 39 ▪ v.....r B.....cher ▪ l.....be Gr.....ße ▪ v.....le St.....hle ▪ f.....nf Z.....mmer

Ich bin müde.

19 E-Mails

a Lesen Sie die E-Mail von Andreas an seinen Freund Max.

Neue Nachricht _ ⤢ ✕

Von: andreas.mueller@bluewin.ch

An: max.grundig@yahoo.de

Betreff: Grüße von Andreas

Lieber Max,

ich bin heute und morgen beruflich in Frankfurt. Heute war ich mit Petra in einem Restaurant. Das Schnitzel dort war sehr lecker! Danach waren wir im Städel Museum. Die Bilder waren wunderbar! Ich wohne im Hotel Europa. Möchtest du heute ein Bier trinken? Vielleicht in der Hotelbar? Ich bin im Hotel und lese einige Informationen über Frankfurt. Morgen präsentiere ich mein Projekt, danach fahre ich zurück nach Basel.

Schöne Grüße
Andreas

Redemittel

- jetzt ▪ gleich ▪ danach
- heute ▪ morgen

Strukturen

fahren
- ich fahre
- du **fährst**
- er/sie **fährt**
- sie/Sie fahren

b Schreiben Sie selbst eine E-Mail.

- Lieber .../Liebe ...,
- viele Grüße aus ...
- im Hotel ... wohnen
- jetzt einen Kaffee mit ... trinken
- heute noch ins Kino/Theater gehen
- danach im Restaurant essen
- morgen ein Projekt präsentieren und zurück nach ... fahren
- Bis bald

20 Frankfurt am Main

a Hören und lesen Sie den Text.

 1 (40)

■ Frankfurt am Main

Frankfurt ist über 1 200 Jahre alt. Die Stadt liegt im Bundesland Hessen am Fluss Main. In Frankfurt leben etwa 700 000 Menschen.

Frankfurt am Main ist ein wichtiges inter-
5 nationales Finanzzentrum. In Frankfurt gibt es die Europäische Zentralbank, die Deutsche Bundesbank, die Frankfurter Börse, die Deutsche Bank, die Commerzbank und andere Banken.
10 Eine Besonderheit ist die Skyline von Frankfurt. Es gibt viele Hochhäuser, manche Leute sagen zu Frankfurt „Mainhattan", manche sagen auch „Bankfurt".

Frankfurt liegt in der Mitte von Deutschland
15 und hat den größten deutschen Flughafen. Der Flughafen ist über 100 Jahre alt. In Frankfurt starten und landen etwa 60 Millionen Passagiere im Jahr.

In Frankfurt gibt es zwei Universitäten und
20 viele Hochschulen. Die größte Universität ist die Johann Wolfgang Goethe-Universität. Dort studieren ca. 47 000 Studenten. Eine bekannte private Hochschule ist die Frankfurt School of Finance & Management.
25 Frankfurt hat 60 Museen, viele Theater und eine Oper. Im Städel Museum in Frankfurt sehen die Besucher über 1 000 Gemälde, darunter auch Bilder von Vincent van Gogh, Claude Monet und Gerhard Richter.

b Ergänzen Sie die Informationen.

▶ Frankfurt hat etwa 700 000 Einwohner.

1. Frankfurt hat eine .... wie Manhattan.
   Manche Leute sagen zu Frankfurt ....

2. Frankfurt hat viele ...., z. B. die Europäische
   Zentralbank, die Deutsche Bundesbank und die Deutsche Bank.

3. Frankfurt hat den größten deutschen ....
   Er ist über 100 ....

4. Frankfurt hat zwei .... Die größte Universität heißt
   Johann Wolfgang von Goethe-Universität.

5. Frankfurt hat 60 Museen. Im Städel Museum hängen über
   ....

21 Städte

Berichten Sie über eine Stadt in Ihrem Heimatland.

.... ist eine Stadt in ....
• In .... wohnen ....
• In .... gibt es ....
• .... hat auch ....

22 Fragen an die Touristeninformation

Sie möchten Frankfurt besuchen. Schreiben Sie eine E-Mail an die Touristeninformation in Frankfurt.
Sie möchten Informationen über Museen und Hotels.

▪ Ich möchte Frankfurt besuchen.
▪ Ich brauche einige Informationen über ...
▪ Ich möchte gern in ein *(Kunstmuseum)* gehen.
▪ Welche Hotels gibt es im Zentrum?
▪ Was kostet ein Zimmer für eine Nacht? ...

Neue Nachricht _ ⤢ ✕

Von:

An:

Betreff:

Sehr geehrte Damen und Herren,

mein Name ist ....

....

....

....

....

....

Vielen Dank

Mit freundlichen Grüßen

....

Frankfurt am Main: Messeturm

Übungen zur Vertiefung und zum Selbststudium

Ü1 〉 **Im Café**

Ergänzen Sie die Verben in der richtigen Form. Manchmal gibt es mehrere Lösungen.

- möchte- *(3 x)* ▪ zahlen
- trinken ▪ gehen *(2 x)*
- brauchen ▪ machen
- nehmen *(2 x)*

▶ Wie ~~geht~~ es dir? – Danke, gut.

1. Und wie .... es dir? – Danke, auch gut.
2. Ich .... jetzt einen Kaffee.
3. Was .... du trinken?
4. Ich .... vielleicht einen Tee oder einen Orangensaft.
5. Ich .... einen Tee.
6. .... Sie auch ein Stück Schokoladenkuchen?
   – Nein, danke.
7. .... du wirklich keinen Schokoladenkuchen?
8. Ach doch, ich .... auch ein Stück.
9. Wir möchten gern ....
10. Zwei Kaffee und zwei Schokoladenkuchen, das .... 8,60 Euro.

Ü2 〉 **Etwas bestellen**

Ordnen Sie die Sätze. Schreiben Sie einen Dialog.

Kellnerin Mit Milch und Zucker?	☐	
Kellnerin Ein Stück Käsekuchen kostet 2,80 Euro.	☐	
Kellnerin Was möchten Sie trinken?	*1*	
Kellnerin Also einen Kaffee mit Milch und ein Wasser.	☐	
Kellnerin Gerne. Vielen Dank.	*11*	
Kellnerin Ist das alles?	☐	

Gast Ich möchte bitte einen Kaffee.	☐
Gast Nein, ich nehme noch ein Wasser.	☐
Gast Mit viel Milch und ohne Zucker.	☐
Gast Ja, bitte. Wie viel kostet ein Stück Käsekuchen?	☐
Gast Dann nehme ich auch noch ein Stück Käsekuchen.	☐

Ü3 〉 **Was möchten Sie?**

Ergänzen Sie die Nomen im Akkusativ.

Ich möchte ...

einen Kaffee ....

....

3 | Vertiefungsteil

Ü4 > **Was brauchen Sie?**
Ordnen Sie zu. Bilden Sie Sätze wie im Beispiel. Achten Sie auf den richtigen Artikel.

> ▪ ~~eine Zeitung~~ ▪ der Computer ▪ mein Lehrbuch ▪ ein Telefon ▪ ein Stuhl ▪ der Drucker ▪ ein Auto
> ▪ ein Regenschirm ▪ ein Stift ▪ eine Kaffeetasse

▶ Ich möchte etwas lesen. *Ich brauche eine Zeitung.*
1. Ich möchte etwas schreiben. ....
2. Ich möchte nach Frankfurt fahren. ....
3. Ich möchte etwas drucken. ....
4. Ich möchte sitzen. ....
5. Ich möchte meine E-Mails lesen. ....
6. Ich möchte Deutsch lernen. ....
7. Ich möchte telefonieren. ....
8. Ich möchte Kaffee trinken. ....
9. Es regnet. ....

Ü5 > **Das brauchen Sie auch noch.**
Ergänzen Sie die Nomen im Akkusativ.

Ich brauche …

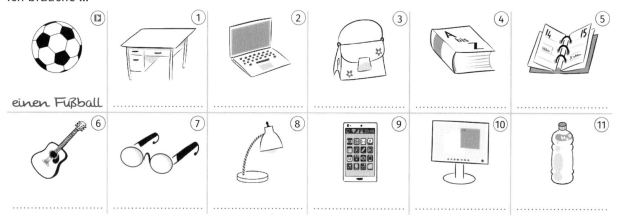

einen Fußball ....

....

Ü6 > **War das nicht früher dein Lieblingsessen?**
Fragen und antworten Sie wie im Beispiel.

▶ *Schnitzel ▪ (das) Lieblingsessen*
War Schnitzel nicht früher dein Lieblingsessen?   *Ja, das ist es immer noch.*

1. *New York ▪ (die) Lieblingsstadt*
War New York nicht früher ....? ....

2. *Terminator 2 ▪ (der) Lieblingsfilm*
....? ....

3. *Martin Suter ▪ (der) Lieblingsautor*
....? ....

4. *Sting ▪ (der) Lieblingssänger*
....? ....

5. *Cola ▪ (das) Lieblingsgetränk*
....? ....

6. *das Deutsche Museum ▪ (das) Lieblingsmuseum*
....? ....

64 | vierundsechzig

Spektrum Deutsch ▪ A1⁺

Ü7 > **Ein Treffen auf der Straße**

Ergänzen Sie die Nomen in dem Dialog. Hören Sie zur Kontrolle den Dialog aus Aufgabe 9b.

Andreas: Hallo Petra.

Petra: Hallo Andreas, so eine Überraschung!
Was machst du hier in Frankfurt?

Andreas: Ich bin beruflich hier. Ich besuche eine ...Konferenz... (1).

Petra: Du wohnst doch jetzt in der Schweiz, oder?

Andreas: Ja, ich wohne in Basel. Meine ...Frau... (2) arbeitet
dort als ...Ärztin... (3). Warst du schon mal in Basel?

Petra: Nein. Ich war schon in Zürich, aber ich war noch nicht in Basel.
Hast du ...Kinder... (4)?

Andreas: Ja, ich habe einen ...Sohn... (5). Er heißt Paul und
ist drei Jahre alt. Und du? Bist du verheiratet?

Petra: Nein, ich bin ...Single... (6). Ich wohne hier im
...Zentrum... (7) von Frankfurt und arbeite viel.

Andreas: Wo arbeitest du?

Petra: Ich arbeite bei der Deutschen Bank als Datenanalystin.
Wo ist deine ...Konferenz... (8)?

Andreas: Im Konferenzzentrum. Ich habe heute frei.
Mein ...Projekt... (9) präsentiere ich morgen.

Petra: Möchtest du etwas essen?

- Kinder
- Ärztin
- Sohn
- Überraschung
- Lieblingsmaler (2 x)
- Konferenz (2 x)
- Frau
- Zentrum
- Schnitzel (2 x)
- Idee
- Malerei
- Projekt
- Single

Andreas: Ja, ein ...Schnitzel... (10). Und ich
möchte gern ins Museum gehen.

Petra: In Frankfurt gibt es das Städel Museum. Das
Museum ist sehr berühmt. Dort hängen Bilder
aus 700 Jahren ...Malerei... (11), auch
Bilder von Claude Monet. Das war doch früher
dein ...Lieblingsmaler... (12)!

Andreas: Ja, das stimmt! Er ist auch heute noch mein
...Lieblingsmaler... (13).

Petra: Dann essen wir jetzt ein ...Schnitzel... (14)
und danach gehen wir ins Museum.

Andreas: Prima ...Idee... (15)! Das machen wir!

Ü8 > **Grüße von Suse**

Schreiben Sie kurze E-Mails.

▶
- gerade in Frankfurt – sein
- mit Gabi – Kaffee – trinken
- gleich ins Museum – gehen
- alles – prima sein

Suse: Hallo Lisa,
ich bin gerade in Frankfurt und trinke mit Gabi
einen Kaffee. Wir gehen gleich ins Museum.
Alles ist prima. Bis morgen. Suse

1.
- jetzt in München – sein
- gestern mit Anton im Deutschen Museum – sein
(Vergangenheit)
- das – super sein!
(Vergangenheit)
- heute in ein Restaurant am Marienplatz – gehen

Hallo ....,
....
....
....
....
....

2.
> - gerade in Wien – sein
> - heute im Café Central – sein *(Vergangenheit)*
> - Sachertorte – lecker sein *(Vergangenheit)*
> - dann mit Eric ins Kino – gehen
> - Film *Terminator 10* – sehen möchte-

Hallo .... ,

....

....

....

....

....

Ü9 〉 Rätsel: Hotel

Wie heißt das Lösungswort? Schreiben Sie die Wörter mit großen Buchstaben.

| ▶ | Ich suche ein Zimmer | F Ü R | eine Nacht. |

1. Haben Sie eine R E S _ _ _ _ _ _ _ ?
2. Wir _ B _ _ noch ein Zimmer für Sie.
3. Möchten Sie _ _ Einzelzimmer?
4. Was _ O _ _ das Zimmer? – 80 Euro.
5. Mit _ _ Ü _ ?
6. G _ T . Das nehme ich.
7. Zahlen Sie B _ _ ?
8. Nein, mit _ E _ _ _ _ _ E .

Ü10 〉 Im Hotel

Bilden Sie Sätze. Achten Sie auf das Verb.

▶ *Sie ▪ noch ein Zimmer ▪ haben?* Haben Sie noch ein Zimmer?

1. *möchte- ▪ wir ▪ ein Doppelzimmer* ....
2. *Sie ▪ wie lange ▪ bleiben ▪ möchte-?* ....
3. *wir ▪ zwei Nächte ▪ bleiben* ....
4. *das Zimmer ▪ WLAN ▪ haben?* ....
5. *kosten ▪ was ▪ ein Einzelzimmer?* ....
6. *das Frühstück ▪ 30 Euro ▪ kosten ▪ extra* ....
7. *zahlen ▪ mit Kreditkarte ▪ ich* ....
8. *noch Ihre persönlichen Angaben ▪ ich ▪ brauchen* ....

Ü11 〉 In Hamburg

Schreiben Sie einen kurzen Text über Hamburg.

▶ Hamburg liegt im Norden von Deutschland, an der Elbe. Die Stadt hat ...

Hamburg: Speicherstadt

> - Lage: im Norden von Deutschland, an der Elbe
> - Einwohner: 1,79 Millionen
> - Fläche: 755 km²
> - Theater: etwa 45
> - Museen: ca. 60, z. B. die berühmte Hamburger Kunsthalle
> - zwei große Fußballvereine: Hamburger SV, FC St. Pauli
> - Hafen
> - viele große Firmen und Redaktionen von Zeitschriften

Wichtige Wörter und Wendungen

> **Wiederholen Sie die Wörter und Wendungen.**
> Die Redemittel zum Hören und zweisprachige Übersichten finden Sie unter
> *http://www.schubert-verlag.de/spektrum.a1.dazu.php#K3*

Im Café

- Was möchtest du / möchten Sie trinken?
- Ich möchte bitte *(einen Orangensaft)*.
- Ich brauche jetzt *(einen Kaffee)*.
- Ich trinke *(einen Tee)*.
- Ich nehme *(ein Wasser)*.
- Wie viel kostet *(ein Stück Käsekuchen)*?
- Möchtest du wirklich *(keinen Schokoladenkuchen)*?
- Doch, ich nehme *(ein Stück)*.
- Wir möchten gern zahlen / bezahlen.
- Zusammen oder getrennt?
- Das macht *(zusammen 8,60 Euro)*.

In der Stadt

- beruflich in *(Frankfurt)* sein
- eine Konferenz besuchen
- über Arbeit und Familie reden
- ins Museum / Theater / Kino / Restaurant gehen
- Informationen über *(Frankfurt)* lesen
- Geld abheben
- Medikamente / Fahrkarten kaufen
- ein Hotelzimmer suchen
- im Hotel übernachten

Im Hotel

- Ich möchte bitte ein Einzel- / Doppelzimmer für *(eine Nacht / zwei Nächte)*.
- Ich habe eine / keine Reservierung.
- Was kostet das Zimmer *(pro Nacht)*?
- Ist der Preis mit Frühstück?
- Gibt es WLAN?
- Ich nehme das Zimmer.
- Ich zahle bar / mit Kreditkarte.
- Wir brauchen noch Ihre persönlichen Angaben.

Einige Getränke und Speisen

- der Kaffee *(mit / ohne Milch und Zucker)*
- der Tee, das Wasser, der Saft
- die Limonade, die Cola, das Bier
- die Suppe, das Brötchen mit Käse
- das Schnitzel, die Currywurst, der Salat
- der Schokoladenkuchen

Reaktionen im Gespräch

- Hallo Petra.
  – Hallo Andreas, so eine Überraschung!
- Das war doch früher dein Lieblingsmaler.
  – Ja, das stimmt!
- Dann essen wir jetzt ein Schnitzel.
  – Prima Idee! Das machen wir!
- Warst du schon mal in München?
  – Ja, da war ich schon.
  – Nein, da war ich noch nicht.
- Ist es schön in München?
  – Keine Ahnung.

Informationen über eine Stadt

- Frankfurt ist über *(1 200)* Jahre alt.
- Die Stadt liegt *(in der Mitte von Deutschland)*.
- In *(Frankfurt)* leben etwa *(700 000)* Menschen.
- In *(Frankfurt)* gibt es *(viele Museen, Banken ...)*.
- Die Stadt hat *(einen großen Flughafen)*.

E-Mails (Anfang und Ende)

- Sehr geehrte Damen und Herren, ...
- Mit freundlichen Grüßen
- Lieber *(Klaus)*, / Liebe *(Clara)*, ...
- Schöne / Liebe Grüße
- Bis bald

Verben im Kontext und Strukturen

 Verben des Kapitels
Lesen Sie die Verben. Üben Sie die Verben am besten mit Beispielsatz.

Verb	Beispielsatz
• abheben	Paul möchte Geld abheben.
• besuchen	Andreas besucht eine Konferenz.
• bleiben	Wie lange möchten Sie bleiben?
• brauchen	Ich brauche jetzt einen Kaffee.
• essen	Isst du auch ein Stück Käsekuchen?
• fahren	Andreas fährt morgen nach Basel.
• finden	Wie findest du die Tasche? – Schön.
• geben	Gibt es WLAN?
• gehen	Petra und Andreas gehen ins Museum.
• hängen	Im Museum hängen Bilder aus 700 Jahren Malerei.
• kaufen	Paul kauft Medikamente.
• kosten	Was kostet ein Stück Käsekuchen?
• landen	In Frankfurt landen viele Flugzeuge.
• liegen	Frankfurt liegt in der Mitte von Deutschland.
• möchte-	Was möchten Sie trinken?
• nehmen	Ich nehme einen Tee.
• parken	Otto parkt das Auto.
• reden	Petra und Andreas reden über ihre Arbeit.
• sehen	Im Städel Museum sehen die Besucher über 1 000 Gemälde.
• starten	In Frankfurt starten viele Flugzeuge.
• stehen	Der WLAN-Code steht auf der Zimmerkarte.
• suchen	Paul sucht eine Bank.
• trinken	Emma und Hilde trinken Kaffee.
• übernachten	Andreas übernachtet im Hotel Europa.
• zahlen / bezahlen	Ich zahle / bezahle mit Kreditkarte.

 Verben mit Besonderheiten

	essen	fahren	landen	nehmen	sehen	starten	*möchte-*
ich	esse	fahre	lande	nehme	sehe	starte	möchte
du	isst	fährst	landest	nimmst	siehst	startest	möchtest
er/sie/es	isst	fährt	landet	nimmt	sieht	startet	möchte
wir	essen	fahren	landen	nehmen	sehen	starten	möchten
ihr	esst	fahrt	landet	nehmt	seht	startet	möchtet
sie	essen	fahren	landen	nehmen	sehen	starten	möchten
Sie	essen	fahren	landen	nehmen	sehen	starten	möchten

Verben: Vergangenheit von *sein*

	Präsens	Präteritum
ich	bin	**war**
du	bist	**warst**
er/sie/es	ist	**war**
wir	sind	**waren**
ihr	seid	**wart**
sie	sind	**waren**
Sie	sind	**waren**

Satzbau

	Position 1	Position 2	Mittelfeld	Satzende
Aussagesatz	Ich	**möchte**	gern einen Kaffee.	
	Ich	**möchte**	gern einen Kaffee	**trinken.**
Fragesatz mit Fragewort	Was	**möchten**	Sie	**trinken?**
Ja-Nein-Frage	**Möchten**	Sie	einen Kaffee	**trinken?**

Nomen und Artikel: Nominativ und Akkusativ

Kasus	Singular			Plural
	maskulin	feminin	neutral	
Nominativ	**der** Kaffee	**die** Limonade	**das** Wasser	**die** Limonaden
	ein Kaffee	**eine** Limonade	**ein** Wasser	**--** Limonaden
	kein Kaffee	**keine** Limonade	**kein** Wasser	**keine** Limonaden
Akkusativ	**den** Kaffee	**die** Limonade	**das** Wasser	**die** Limonaden
	einen Kaffee	**eine** Limonade	**ein** Wasser	**--** Limonaden
	keinen Kaffee	**keine** Limonade	**kein** Wasser	**keine** Limonaden

Präpositionen

in	Sie gehen zusammen **ins** Museum.	in das → **ins**
	Ich wohne **im** Zentrum.	in dem → **im**
mit	Ich zahle **mit** Kreditkarte.	
nach	Morgen fahre ich **nach** Berlin.	
ohne	Ich möchte einen Kaffee **ohne** Milch und Zucker.	
über	Petra und Andreas reden **über** ihre Arbeit.	

Adverbien

jetzt/gleich/danach	Ich bin **jetzt** im Hotel. Wir gehen **gleich** ins Restaurant und **danach** ins Kino.
heute/morgen	Ich bin **heute** in Frankfurt. Ich fahre **morgen** nach Basel.
hier/dort	Was machst du **hier** *(in Frankfurt)*? Meine Frau arbeitet **dort** *(in Basel)* als Ärztin.

Kleiner Abschlusstest

Meine Gesamtleistung

.................../20

Was können Sie schon? Testen Sie sich selbst.

T1 ⟩ **Anton ist neu in der Firma.**
Er braucht im Büro noch einige Dinge.
Ergänzen Sie die Nomen mit Artikel im Akkusativ.

............../5

Anton braucht noch:

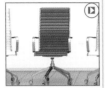   

einen Stuhl ....

T2 ⟩ **Im Café**
Ergänzen Sie in dem Dialog die fehlenden Sätze.

............/5

		Kellnerin:	Was möchten Sie trinken?
1.	(*Kaffee*)	**Gast:**	....
		Kellnerin:	Ist das alles?
2.	(*Nein, ▪ noch ▪ Orangensaft*)	**Gast:**	....
	(*kosten ▪ Käsebrötchen?*)		....?
		Kellnerin:	2,80 Euro.
3.	(*auch noch Käsebrötchen*)	**Gast:**	....
		Kellnerin:	Gerne.
4.	(*zahlen*)	**Gast:**	....

T3 ⟩ **Eine Mail aus Hamburg**
Ergänzen Sie die Verben in der richtigen Form.

............/7

- sein (*Präsens, 2 x*)
- wohnen
- fahren
- sein (*Präteritum, 2 x*)
- besuchen
- möchte-

Liebe Erika,
ich bin beruflich in Hamburg. Ich
.... (1) heute mit Klaus in einem
Restaurant. Das Essen .... (2) sehr
lecker! Wir .... (3) jetzt noch ein
Museum, die Hamburger Kunsthalle. Ich
.... (4) im Hotel Atlantik. Das Zimmer
.... (5) sehr schön. .... (6)
du heute Abend ein Glas Wein trinken? Vielleicht in der Hotelbar? Morgen
.... (7) ich zurück nach Berlin.
Liebe Grüße, Clara

Hamburg: Kunsthalle

T4 ⟩ **Im Hotel**
Wie heißt die Frage?

............/3

A: Haben Sie noch (ein) Zimmer frei? →	**B:** Ja, wir haben noch (ein) Zimmer frei.
B: ....?	**A:** Wir bleiben zwei Nächte.
A: ....?	**B:** 80 Euro pro Nacht.
B: ....?	**A:** Mit Kreditkarte.

Von morgens bis abends

Uhrzeiten verstehen und nennen
▸ *Es ist halb acht. Der Unterricht beginnt um 8.00 Uhr.*

Eine Zeitdauer verstehen und nennen
▸ *Der Unterricht dauert zwei Stunden.*

Tage und Tageszeiten angeben
▸ *der Montag ▪ der Vormittag ▪ am Montagvormittag*

Über alltägliche Aktivitäten berichten
▸ *E-Mails schreiben ▪ zum Arzt gehen …*

Tagesabläufe verstehen
▸ *Jonas steht um 9.00 Uhr auf.*

Fragen zum Tagesablauf formulieren und beantworten
▸ *Wann frühstückst du? Ich frühstücke um …*

Über den eigenen Tagesablauf schriftlich berichten
▸ *Ich stehe um 8.00 Uhr auf. Danach …*

Ein Telefongespräch führen
▸ *Ich möchte bitte mit Frau Schneider sprechen.*

1 **Wer macht was am Montag?**
a Hören und lesen Sie.

Martin frühstückt um 9.00 Uhr.

Um 9.30 Uhr lernt Peter für eine Prüfung.

Um 10.00 Uhr macht Vera Gymnastik.

Um 10.15 Uhr fährt Konrad nach Köln.

Um 10.30 Uhr geht Max zum Arzt.

Olaf schreibt um 10.45 Uhr eine E-Mail.

Otto telefoniert um 11.00 Uhr mit Frau Köhler.

Um 11.30 Uhr hat der Chef eine Besprechung.

Um 12.00 Uhr macht Roger Pause.

b Ergänzen Sie die Verben.

- machen *(2 x)*
- fahren
- ~~frühstücken~~
- haben
- lernen
- gehen
- telefonieren
- schreiben

▶ Um 9.00 Uhr *frühstückt* Martin.

1. Um 9.30 Uhr .... Peter für eine Prüfung.
2. Um 10.00 Uhr .... Vera Gymnastik.
3. Um 10.15 Uhr .... Konrad nach Köln.
4. Um 10.30 Uhr .... Max zum Arzt.
5. Um 10.45 Uhr .... Olaf eine E-Mail.
6. Um 11.00 Uhr .... Otto mit Frau Köhler.
7. Um 11.30 Uhr .... der Chef eine Besprechung.
8. Um 12.00 Uhr .... Roger Pause.

2 Zeitangaben: Die Uhrzeit

a Wie spät ist es? Wann beginnt der Unterricht?
Hören und lesen Sie.

14.30 Uhr

- Wir sagen: 14 Uhr 30

Es ist 13.00 Uhr.

Der Unterricht beginnt um 13.00 Uhr.
Der Unterricht beginnt um eins.

Es ist 20.55 Uhr.
Es ist fünf (Minuten) **vor** neun.

Der Unterricht beginnt um 20.55 Uhr.
Der Unterricht beginnt um fünf **vor**
neun.

Es ist 14.30 Uhr.
Es ist halb drei.

Der Unterricht beginnt um 14.30 Uhr.
Der Unterricht beginnt um halb drei.

Es ist 18.45 Uhr.
Es ist Viertel **vor** sieben.

Der Unterricht beginnt um 18.45 Uhr.
Der Unterricht beginnt um Viertel
vor sieben.

Es ist 16.10 Uhr.
Es ist zehn (Minuten) **nach** vier.

Der Unterricht beginnt um 16.10 Uhr.
Der Unterricht beginnt um zehn
nach vier.

Es ist 17.15 Uhr.
Es ist Viertel **nach** fünf.

Der Unterricht beginnt um 17.15 Uhr.
Der Unterricht beginnt um Viertel
nach fünf.

b Wie spät ist es? Wann beginnt der Unterricht?
Antworten Sie.

Es ist …

Der Unterricht beginnt um …

c Hören Sie und ergänzen Sie die Uhrzeit.

1(43) ▶ Es ist 17.15 Uhr.

1. Ich gehe um .... zum Arzt.

2. Die Besprechung beginnt um ....

3. Frau Müller macht um .... Pause.

4. Susi fährt um .... nach Berlin.

5. Heute geht es nicht.
Vielleicht morgen um ....

6. Das Fußballspiel beginnt um ....

3 **Wann machst du was?**
Spielen Sie Dialoge. Formulieren Sie Fragen und antworten Sie.

▶ *(frühstücken ▪ du)*   **A:** Wann frühstückst du?
(8.00 Uhr)   **B:** Ich frühstücke um 8.00 Uhr.

1. *(gehen ▪ ins Museum ▪ du)*   **B:** ....?
(11.30 Uhr)   **A:** ....

2. *(Kaffee ▪ trinken ▪ du)*   **A:** ....?
(14.15 Uhr)   **B:** ....

3. *(der Unterricht ▪ beginnen)*   **B:** ....?
(17.00 Uhr)   **A:** ....

4. *(die Pause ▪ sein)*   **A:** ....?
(18.30 Uhr)   **B:** ....

5. *(Fußball ▪ spielen ▪ du)*   **B:** ....?
(20.00 Uhr)   **A:** ....

4 **Zeitangaben: Zeitpunkt und Dauer**
a Lesen Sie die Übersicht.

Zeitpunkt: ● **Wann?**	**Wann** beginnt der Unterricht? Er beginnt **um** 19.00 Uhr. **Wann** ist der Unterricht zu Ende? **Um** 21.00 Uhr.
Dauer: ● ⟶ ● **Wie lange?**	**Wie lange** dauert der Unterricht? Er dauert zwei Stunden. Der Unterricht geht **von** 19.00 **bis** 21.00 Uhr.
Von wann bis wann?	**Von wann bis wann** hast du Zeit? **Von** 12.00 **bis** 14.00 Uhr.
Bis wann?	**Bis wann** hast du Zeit? **Bis** 14.00 Uhr.

▶ **Redemittel**

Dauer
- ½ ⟶ eine halbe Stunde
- 1 ⟶ eine Stunde
- 1½ ⟶ **anderthalb** Stunden
- 2 ⟶ zwei Stunden
- 2½ ⟶ zweieinhalb Stunden
- 3 ⟶ drei Stunden
- 3½ ⟶ dreieinhalb Stunden

b Beantworten Sie die Fragen.

- Deutschkurs: 18.30–21.00 Uhr
- Videokonferenz: 10.00–12.30 Uhr
- Fahrt nach Berlin: 16.30–19.30 Uhr
- Konzert: 19.30–22.00 Uhr
- Fußballspiel: 15.00–16.30 Uhr

▶ Wann beginnt das Konzert?
Das Konzert beginnt um 19.30 Uhr.

1. Wie lange dauert das Konzert?
....

2. Wann fährt der Chef nach Berlin?
....

3. Wie lange dauert die Fahrt?
....

4. Wann beginnt die Videokonferenz?
....

5. Wann beginnt der Deutschunterricht?
....

6. Wie lange dauert der Unterricht?
....

7. Wann ist das Fußballspiel zu Ende?
....

c Spielen Sie Dialoge. Formulieren Sie Fragen und antworten Sie.

▶ *(arbeiten ▪ du ▪ heute)*   A: *Bis wann arbeitest du heute?*
(bis 18.00 Uhr)   B: *Ich arbeite heute bis 18.00 Uhr.*

1. *(dauern ▪ die Pause)*   B: *Wie lange dauert* ....?
(1 Stunde)   A: ....

2. *(dauern ▪ die Besprechung)*   A: ....?
(3 Stunden)   B: ....

3. *(lernen ▪ du ▪ heute ▪ für die Prüfung)*   B: ....?
(4 Stunden)   A: ....

4. *(fahren ▪ Frau Müller ▪ nach Hause)*   A: ....?
(15 Minuten)   B: ....

5. *(gehen ▪ deine Präsentation)*   B: *Bis wann* ....?
(bis 15.50 Uhr)   A: ....

5   Das Jahr
Hören und lesen Sie.

 1 (44)

Das Jahr hat

12	Monate	(der Monat)
52	Wochen	(die Woche)
365	Tage	(der Tag)
8 760	Stunden	(die Stunde)
525 600	Minuten	(die Minute)
31 536 000	Sekunden	(die Sekunde)

6 Die Tage
Hören und lesen Sie.

 1 (45)

Die Wochentage

Die Arbeitstage:

der M o n t a g
→ montags

der D i e n s t a g
→ dienstags

der M i t t w o c h
→ mittwochs

der D o n n e r s t a g
→ donnerstags

der F r e i t a g
→ freitags

Das Wochenende:

der S a m s t a g
→ samstags

der S o n n t a g
→ sonntags

▶ **Redemittel**

- **Montags** haben wir Besprechung.
  → *jeden Montag*

7 Dialoge: Tage und Tätigkeiten
Was machst du am Montag?
Spielen Sie Dialoge. Fragen Sie nach allen Wochentagen.

- eine Besprechung haben
- viele E-Mails schreiben
- für die Prüfung lernen
- Deutsch lernen
- Fußball spielen
- Tennis spielen
- ins Museum gehen
- mit Sabine Kaffee trinken gehen
- ins Restaurant gehen
- schwimmen gehen
- zum Arzt gehen
- nach Berlin fahren
- ein Projekt präsentieren
- eine Konferenz besuchen
- Gymnastik machen

Dialog 1
A: Was machst du am Montag?
B: Am Montag gehe ich zum Arzt. Und du?/Was machst du am Montag?
A: Ich ... am Montag ... Was machst du am Dienstag?

▶ **Strukturen**
- **am** Montag
- **am** Dienstag

Dialog 2
A: Hast du am Montag Zeit?
B: Nein, am Montag habe ich leider keine Zeit. Ich gehe am Montag zum Arzt. Hast du am Dienstag Zeit?
A: Nein, am Dienstag ...

8 Die Tageszeiten
Hören und lesen Sie.

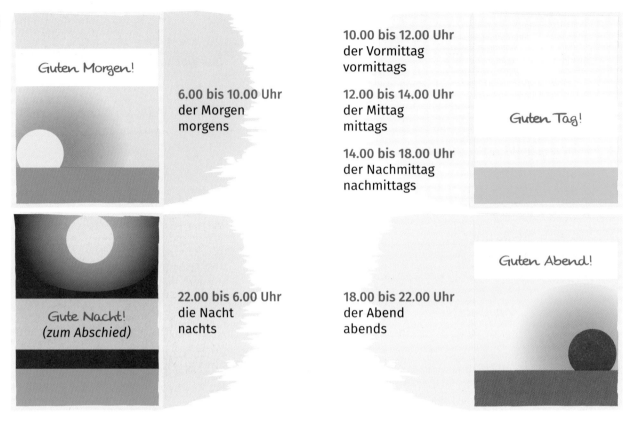

Guten Morgen!

6.00 bis 10.00 Uhr
der Morgen
morgens

10.00 bis 12.00 Uhr
der Vormittag
vormittags

12.00 bis 14.00 Uhr
der Mittag
mittags

14.00 bis 18.00 Uhr
der Nachmittag
nachmittags

Guten Tag!

Gute Nacht!
(zum Abschied)

22.00 bis 6.00 Uhr
die Nacht
nachts

18.00 bis 22.00 Uhr
der Abend
abends

Guten Abend!

9 Phonetik: *ich*-Laut [ç] und *ach*-Laut [x]
a Hören Sie und lesen Sie laut.

- Wel**ch**e Spra**ch**en spri**ch**st du? – I**ch** spre**ch**e Englis**ch**, **Ch**inesis**ch** und Deuts**ch**.
- Was ma**ch**st du am Mittwo**ch**? – I**ch** habe um se**ch**zehn Uhr eine Bespre**ch**ung.
- Mö**ch**test du einen Ku**ch**en? – Nein, i**ch** esse lieber ein Bröt**ch**en.

b Hören und lesen Sie. Ergänzen Sie danach die Tabelle.

- nach • welche • Unterricht • Nachmittag • persönlich • ich • Nacht • Nächte • Bericht • sechzehn
- machen • Besprechung • kochen • Kuchen • vielleicht • möchte- • Buch • Bücher • auch • Brötchen

▷ *ich*-**Laut [ç] und** *ach*-**Laut [x]**

ich-Laut [ç] nach: *i, e, ö, ä, ü, eu, ei, n, l, r* und in *-chen*	*ach*-Laut nach: *a, o, u, au*
• welche ...	• nach ...

Gute Nacht!

10 Etwas zusammen unternehmen

a Hören Sie den Dialog und ergänzen Sie die Informationen.

 ▶ Brigitte geht gerade *einen Kaffee trinken.*

1. Maria hat leider .... für einen Kaffee.

2. Brigitte ist am Mittwochvormittag im ....

   Von .... spielt sie Tennis.

   Am .... fährt sie nach Frankfurt.

3. Maria und Brigitte trinken am ....,

   um .... zusammen einen Kaffee.

> **Strukturen**
>
> - am Vormittag
> - am Mittwochvormittag
> - am Nachmittag
> - am Montagnachmittag

b Lesen Sie den Dialog laut. Tauschen Sie die Rollen.

Maria:	Hallo Brigitte!
Brigitte:	Hallo Maria, wie geht es dir?
Maria:	Danke, gut. Und wie geht es dir?
Brigitte:	Danke, auch gut. Ich gehe gerade einen Kaffee trinken. Hast du Zeit für einen Kaffee?
Maria:	Nein, heute habe ich leider keine Zeit. Vielleicht können wir morgen zusammen einen Kaffee trinken.
Brigitte:	Morgen ist Mittwoch, oder?
Maria:	Ja, morgen ist Mittwoch.

Brigitte:	Also, am Vormittag bin ich von 9.00 bis 13.00 Uhr im Büro, am Nachmittag spiele ich von 14.00 bis 15.00 Uhr Tennis, danach bin ich wieder im Büro.
Maria:	Und am Donnerstag, hast du am Donnerstag Zeit?
Brigitte:	Am Donnerstag kann ich auch nicht. Da fahre ich nach Frankfurt. Ich habe am Freitagnachmittag Zeit.
Maria:	Ich auch, dann trinken wir am Freitag zusammen einen Kaffee.
Brigitte:	Im Café Kandler, um 16.00 Uhr?
Maria:	Prima, dann bis Freitag.
Brigitte:	Ja, tschüss, bis Freitag.

11 Klassenspaziergang: Freunde treffen

a Sprechen Sie mit vielen Kursteilnehmern.

Gehen wir am (*Montag*) zusammen ...?

> - schwimmen ▪ tanzen ▪ ein Schnitzel essen
> - ins Museum ▪ in die Bibliothek
> - ein Bier trinken

– Ja, gerne.

– Am (*Montag*) habe ich leider keine Zeit.
  Wie ist es am (*Dienstag*)?
  Hast du am (*Dienstag*) Zeit?

Vielleicht können wir am (*Montag*) zusammen ...

> - Computerspiele spielen ▪ Musik hören
> - Kaffee trinken ▪ nach Berlin fahren
> - für die Prüfung lernen

– Gute Idee! Das machen wir.

– Am (*Montag*) kann ich leider nicht.
  Kannst du am (*Dienstag*)?

b Berichten Sie.

▶ Juliane und ich gehen am Montag zusammen schwimmen.
Peter und ich spielen am Dienstag zusammen Computerspiele.

12 Strukturen: Satzbau
a Lesen Sie die Beispielsätze.

❯ **können**

Position 1	Position 2	Mittelfeld	Satzende
Wir	können	vielleicht am Donnerstag zusammen	lernen.
Vielleicht	können	wir morgen zusammen einen Kaffee	trinken.
Wann	können	wir ins Museum	gehen?
Kannst	du	am Freitag?*	
Am Freitag	kann	ich leider nicht.*	

*Kurzformen von „Kannst du am Freitag kommen?" – „Am Freitag kann ich leider nicht kommen."

b Bilden Sie Sätze wie im Beispiel. Arbeiten Sie zu zweit.

▶ *wir ▪ am Mittwoch ▪ ins Museum gehen ▪ vielleicht ▪ können*
Wir können vielleicht am Mittwoch ins Museum gehen.

1. *wir ▪ am Freitag ▪ zusammen Hausaufgaben machen ▪ können*
....

2. *du ▪ die E-Mail schreiben ▪ morgen ▪ können*
....

3. *Klaus ▪ sein Projekt präsentieren ▪ schon am Mittwoch ▪ können*
....

4. *wir ▪ am Samstag ▪ zusammen kochen ▪ können*
....

5. *wann ▪ wir ▪ zusammen ▪ nach Wien fahren ▪ können?*
....

6. *vielleicht ▪ wir ▪ am Sonntag ▪ zusammen ▪ ein Bier trinken ▪ können*
....

7. *du ▪ am Freitag ▪ können?*
....

▶ **Strukturen**

Möglichkeit/Fähigkeit
▪ ich **kann**
▪ du **kannst**
▪ er/sie **kann**
▪ wir **können**
▪ ihr **könnt**
▪ sie/Sie **können**

13 Was kannst du gut?
Spielen Sie kurze Dialoge.

- ▪ kochen
- ▪ schwimmen
- ▪ Fußball spielen
- ▪ Gitarre spielen
- ▪ Englisch sprechen
- ▪ tanzen

▶ *(kochen)* Kannst du gut kochen?
– Ja, ich kann sehr gut kochen.
– Nein, ich kann nicht so gut kochen.

▶ **Redemittel**

etwas können
▪ sehr gut
▪ nicht so gut

14 Tagesabläufe

a Lesen und hören Sie die Texte.

① Martina wohnt in Leipzig. Sie arbeitet als Statistikerin an einem Fraunhofer-Institut. Sie steht meistens um 7.00 Uhr auf. Um 7.30 Uhr frühstückt Martina, danach macht sie Gymnastik. Um 8.00 Uhr fährt Martina mit dem Motorroller ins Büro. Von 8.30 bis 12.00 Uhr arbeitet sie: Sie analysiert Daten und schreibt viele E-Mails und Berichte. Sie hat jeden Tag eine 10 Teambesprechung. Die Besprechung fängt um 11.00 Uhr an und dauert eine Stunde. Von 12.00 bis 12.30 Uhr macht Martina Mittagspause. Von 12.30 bis 17.00 Uhr arbei-15 tet Martina wieder. Sie ruft manchmal Kollegen an. Um 17.00 Uhr fährt Martina in die Stadt. Dort kauft sie ein. Sie kauft gern Schuhe. Danach 20 geht sie oft mit Freunden in ein Restaurant. Um 23.00 Uhr geht Martina ins Bett.

▶ **Redemittel**

Wie oft?
- manchmal
- oft
- meistens
- jeden Tag

② Jonas wohnt in Berlin. Er ist Student. Jonas steht oft um 9.00 Uhr auf. Danach geht er in die Universität. Dort frühstückt er. Am Montag, Dienstag und Donnerstag 5 besucht er Seminare und Vorlesungen. Am Mittwoch und Freitag macht er ein Praktikum. Von 18.00 bis 20.00 Uhr sitzt Jonas oft in der Bibliothek und 10 lernt. Danach geht er aus, meistens mit Max und Moritz. Jonas geht um Mitternacht ins Bett.

b Lesen Sie die Texte laut.

c Unterstreichen Sie die Verben und ergänzen Sie den Infinitiv.

▶	Martina <u>wohnt</u> in Leipzig.	⟶ in Leipzig *wohnen*
1.	Sie arbeitet als Statistikerin.	⟶ als Statistikerin ....
2.	Sie steht um 7.00 Uhr auf.	⟶ um 7.00 Uhr *auf*........................
3.	Um 7.30 Uhr frühstückt Martina.	⟶ um 7.30 ....
4.	Danach macht sie Gymnastik.	⟶ Gymnastik ....
5.	Um 8.00 Uhr fährt Martina ins Büro.	⟶ ins Büro ....
6.	Sie analysiert Daten.	⟶ Daten ....
7.	Sie schreibt viele E-Mails und Berichte.	⟶ E-Mails und Berichte ....
8.	Sie hat eine Besprechung.	⟶ eine Besprechung ....
9.	Die Besprechung fängt um 11.00 Uhr an.	⟶ um 11.00 Uhr ....
10.	Sie dauert eine Stunde.	⟶ eine Stunde ....
11.	Martina ruft manchmal Kollegen an.	⟶ Kollegen ....
12.	Um 17.00 Uhr kauft sie in der Stadt ein.	⟶ in der Stadt ....
13.	Sie kauft gern Schuhe.	⟶ Schuhe ....
14.	Danach geht sie mit Freunden in ein Restaurant.	⟶ in ein Restaurant ....
15.	Jonas ist Student.	⟶ Student ....
16.	Er besucht Seminare und Vorlesungen.	⟶ Seminare und Vorlesungen ....
17.	Er geht abends gern mit Freunden aus.	⟶ mit Freunden ....

15 Strukturen: Verben mit Präfix
Ergänzen Sie die Tabelle. Arbeiten Sie zu zweit.

Infinitiv	Beispielsatz	
aufstehen	Jonas steht um 9.00 Uhr auf.	▸ Diese Verben sind trennbar.
ausgehen	Er .... abends gern mit Freunden	Das Präfix steht am Satzende.
....	Martina kauft in der Stadt ein.	
anrufen	Sie .... viele Kollegen	
....	Die Besprechung fängt um 11.00 Uhr an.	
beginnen	Der Unterricht .... um 9.00 Uhr.	▸ Verben mit den Präfixen
bedienen	Sabine .... Gäste.	*be-*, *ent-* sind nicht trennbar.
....	Emma bestellt einen Kaffee.	
bezahlen	.... Sie mit Kreditkarte?	
....	Andreas besucht das Städel Museum.	
....	Juan entwickelt Autos.	
unterrichten	Prof. Schrader ....Studenten.	▸ Viele Verben mit den Präfixen
untersuchen	Dr. Klein .... Patienten.	*unter-*, *über-* sind nicht
....	Übernachtest du in Frankfurt?	trennbar.

16 Freizeit
Was machen die Österreicher in ihrer Freizeit? Schreiben Sie Sätze. Arbeiten Sie zu zweit.

①

fernsehen
montags bis freitags: 2 Stunden
am Wochenende: 2 ½ Stunden

②

Sport treiben
montags bis freitags: 27 Minuten
am Wochenende: 45 Minuten

③

**mit Freunden sprechen/
Partys feiern**
am Wochenende
etwa 2 Stunden

④

**Bücher, Zeitungen oder
Zeitschriften lesen**
täglich: 24 Minuten

⑤

Computerspiele spielen
junge Leute
täglich 1 ½ Stunden

⑥

Radio hören
morgens: 1 ½ Stunden

▸ Die Menschen in Österreich sehen montags bis freitags 2 Stunden fern. Am Wochenende sehen sie …

17 Phonetik: Umlaut ö

a Hören Sie und lesen Sie laut.

 1 51 ▷ *hören* [ø:] und *können* [œ]

lang [ø:]	kurz [œ]
▪ Österreich ▪ möglich ▪ Französisch ▪ hören ▪ Brötchen ▪ schön	▪ können ▪ zwölf ▪ Wörter ▪ Wörterbuch ▪ möchte-
▪ Erwin kommt aus Österreich. ▪ Er lernt Französisch.	▪ Können Sie Tennis spielen? ▪ Ich möchte ein Wörterbuch kaufen.

b Emotional sprechen

Hören Sie und lesen Sie laut.

1 52

18 Partnerinterview: Tagesablauf

a Formulieren Sie Fragen und antworten Sie. Arbeiten Sie zu zweit.
Notieren Sie die Fragen und Antworten.

▶ *wann* ▪ *aufstehen?*
A: Wann stehst du auf?
B: Ich stehe um 8.00 Uhr auf.

1. *wann* ▪ *frühstücken?*
A: ....
B: ....

2. *wie lange* ▪ *morgens* ▪ *Radio hören?*
A: ....
B: ....

3. *wann* ▪ *ins Büro/zur Universität* ▪ *fahren?*
A: ....
B: ....

4. *wann* ▪ *die Arbeit/der Unterricht* ▪ *anfangen?*
A: ....
B: ....

5. *wie lange* ▪ *Mittagspause* ▪ *machen?*
A: ....
B: ....

6. *wann* ▪ *einkaufen?*
A: ....
B: ....

7. *wie lange* ▪ *fernsehen?*
A: ....
B: ....

8. *wie lange* ▪ *Sport treiben?*
A: ....
B: ....

9. *wann* ▪ *abends* ▪ *ins Bett* ▪ *gehen?*
A: ....
B: ....

b Berichten Sie.

▶ Anton steht um 8.00 Uhr auf. Er ...

19 Ihr Tagesablauf
Beschreiben Sie Ihren Tagesablauf. Schreiben Sie mindestens acht Sätze.

20 Partnerarbeit: Nach Informationen fragen
Fragen Sie Ihre Partnerin/Ihren Partner nach Informationen wie im Beispiel.
Formulieren Sie Fragen. Ihr Partner antwortet.

Thema: Tagesablauf	Frage	Antwort
arbeiten	*Wann arbeitest du?* *Wann beginnt deine Arbeit?* *Bis wann arbeitest du?*	*– Ich arbeite montags bis freitags.* *– Meine Arbeit beginnt um 10.00 Uhr.* *– Ich arbeite bis 18.00 Uhr.*

Tauschen Sie danach die Rollen.

Thema: Tagesablauf ①	Thema: Tagesablauf ②	Thema: Tagesablauf ③
einkaufen	**Wochenende**	**Mittagspause**
Thema: Tagesablauf ④	Thema: Tagesablauf ⑤	Thema: Tagesablauf ⑥
Sport	**fernsehen**	**kochen**

21 Phonetik
a Hören Sie und lesen Sie laut.

 1 ⏵ **Der Wortakzent bei Verben mit Präfix**

Der Akzent ist auf dem Präfix.	Der Akzent ist auf der Stammsilbe.
▪ aufstehen ▪ einkaufen ▪ fernsehen ▪ anfangen ▪ anrufen	▪ beginnen ▪ bezahlen ▪ besuchen ▪ entwickeln ▪ übernachten ▪ unterrichten
▸ trennbare Verben	▸ nicht trennbare Verben

b Lesen Sie laut und markieren Sie den Wortakzent.
Arbeiten Sie zu zweit.

▪ um 8.00 Uhr aufstehen ▪ mit der Arbeit beginnen
▪ eine Rechnung bezahlen ▪ zwei Stunden fernsehen
▪ Frau Müller anrufen ▪ Freunde besuchen
▪ im Hotel übernachten ▪ ein Glas Mineralwasser bestellen
▪ Gäste bedienen ▪ Computerspiele entwickeln
▪ im Supermarkt einkaufen ▪ Deutsch unterrichten
▪ mit dem Kurs anfangen

22 Ein Telefongespräch mit Frau Müller

a Otto möchte gerne mit Frau Lustig sprechen. Er möchte eine Projektidee präsentieren.
Er ruft die Sekretärin von Frau Lustig an. Sie heißt Frau Müller.
Hören Sie das Gespräch und ergänzen Sie die Informationen.

 1 54

Kalender von Frau Lustig
Freitag   **13. APRIL**

.... Uhr	Besprechung mit dem Direktor
.... Uhr	Telefonkonferenz
12.30 Uhr	....
13.30 Uhr	Bericht
.... Uhr	Telefonat mit Kollegen ....
16.00 Uhr	Fahrt nach ....

Telefonnummer von
Frau Esser:
....

b Ergänzen Sie die Satzteile. Arbeiten Sie zu zweit.
Hören Sie zur Kontrolle das Telefongespräch noch einmal. Lesen Sie danach den Dialog laut.

- eine Projektidee vorstellen
- ~~guten Tag~~
- Mittagspause
- dringend
- Viel Erfolg
- Zeit
- Die Besprechung dauert
- Und morgen?
- Ich wiederhole
- gerne am Montag
- Welche Telefonnummer hat
- einen Bericht
- nach Berlin

Frau Müller: Müller.

Herr Gruber: Ja, guten Tag, Frau Müller, hier ist Otto Gruber. Ich möchte bitte mit Frau Lustig sprechen.

Frau Müller: Ist es .... (1)?

Herr Gruber: Ja, ich möchte ....
.... (2). Ist es heute möglich?

Frau Müller: Also, am Vormittag hat Frau Lustig leider keine............................. (3). Um 9.00 Uhr hat Frau Lustig eine Besprechung mit dem Direktor. .... (4) zwei Stunden. Um 11.00 Uhr hat Frau Lustig eine Telefonkonferenz und um 12.30 Uhr macht sie .... (5).

Herr Gruber: Und wie ist es am Nachmittag? Hat Frau Lustig vielleicht am Nachmittag Zeit?

Frau Müller: Um 13.30 Uhr schreibt Frau Lustig .... (6), um 14.30 Uhr telefoniert sie mit Kollegen in London und um 16.00 Uhr fährt sie .... (7). Sie können heute leider nicht mit Frau Lustig sprechen.

Herr Gruber: .... (8)? Hat Frau Lustig vielleicht morgen Zeit?

Frau Müller: Morgen ist Samstag, Herr Gruber. Sie können .... (9) wieder anrufen. Dann ist meine Kollegin Katja Esser hier.

Herr Gruber: Gut, ich rufe am Montagvormittag wieder an. .... (10) Frau Esser?

Frau Müller: Moment ... die Nummer von Frau Esser ist 7 63 54 26.

Herr Gruber: .... (11): 7 63 54 26.

Frau Müller: Ja. .... (12), Herr Gruber.

Herr Gruber: Vielen Dank. Auf Wiederhören!

23 Telefongespräch

Lesen Sie den Beispieldialog. Spielen Sie danach das Telefongespräch. Tauschen Sie die Rollen.

(Ihr Name) **A**

B Ja, guten Tag, Frau / Herr ..., hier ist ...
(Ihr Name).
Ich möchte bitte mit Frau Meier sprechen.

Ist es dringend? **A**

B Ja, ich möchte eine Projektidee präsentieren. Ist das heute möglich?

Moment bitte ... **A**
Also, heute hat Frau Meier
leider keine Zeit.

B Und wie ist es morgen? Hat Frau Meier viel-leicht morgen Zeit?

Morgen ist Samstag, Herr / Frau ... **A**
Am Wochenende arbeitet Frau Meier nicht.
Sie können gerne am Montag wieder anrufen.
Da ist mein Kollege Herr Schneider hier.

B Gut, dann rufe ich am Montag wieder an.
Welche Telefonnummer hat Herr Schneider?

Die Nummer ist 86 53 42 86. **A**

B Ich wiederhole: 86 53 42 86.
Vielen Dank, Frau / Herr ...

Bitte sehr. Auf Wiederhören! **A**

24 Welche Anzeige passt?

Wählen Sie die richtige Anzeige (A oder B) aus.

① Sie möchten Salsa tanzen.
Sie haben nur am Abend
Zeit.

(A) **Tanzkurse für Anfänger und Fortgeschrittene!** Klassische und moderne Tänze. Kurse montags bis sonntags, 19 bis 21 Uhr.
www.stuttgart-tanzt.com

(B) **Hallo! Ich suche eine Tanz-partnerin für einen Tangokurs.** Der Kurs fängt nächsten Sonntag um 14 Uhr an.
Meine E-Mail-Adresse:
georg.hansel@gmail.com

......

② Sie möchten einen Koch-kurs besuchen. Sie haben
am Wochenende Zeit.

(A) Besuchen Sie unser neues **Spe-zialitätenrestaurant** in der Mo-zartstraße. Küche geöffnet bis 24 Uhr, auch am Wochenende.
www.restaurants-in-frankfurt.de

(B) **Sie möchten kochen lernen?** Machen Sie einen Kurs! Vier Wo-chen, samstags und sonntags von 10 bis 12 Uhr.
www.kochkurse-hannover.de

......

③ Sie möchten für Ihre Ar-beit am Wochenende Itali-enisch lernen. Sie suchen
einen Sprachkurs.

(A) **Italienisch-, Französisch- und Spanischkurse** mit muttersprach-lichen Lehrern. Kurse an Wochen-tagen und am Wochenende.
Kontakt: info@languages.com

(B) **Sie brauchen Deutsch und Eng-lisch für den Beruf?** Unterricht in kleinen Gruppen am Wochenende.
Kontakt: 0341/6 45 73 82
www.sprachen-lernen-beruf.de

......

④ Sie möchten am Montag-vormittag zusammen mit
anderen Menschen Sport
treiben.

(A) **Unser Fitnessstudio hat eine neue Adresse.** Ab Montag finden Sie uns in der Wiener Straße 12, 10999 Berlin.
www.sportcenter-berlin.de

(B) **Im September beginnt unser neues Kursprogramm.** Yoga, Fitness und Pilates. Klei-ne Gruppen. Montag bis Freitag, 10 bis 12 Uhr.
www.studio-aktiv-berlin.de

......

Übungen zur Vertiefung und zum Selbststudium

Ü1 ⟩ **Uhrzeiten**
Schreiben Sie die Uhrzeit.

▶ fünf vor acht   7.55 Uhr
1. halb zehn   ....
2. vierzehn Uhr dreiundzwanzig   ....
3. Viertel vor zwölf   ....
4. zehn nach neun   ....
5. siebzehn Uhr neunzehn   ....
6. Viertel nach elf   ....

Ü2 ⟩ **Wann beginnt was?**
Hören Sie und ergänzen Sie die Uhrzeit.

1 ⟲ 55

▶ Die Besprechung beginnt um 10.15 Uhr.
1. Die Mittagspause beginnt ....
2. Die Präsentation beginnt ....
3. Das Tennisspiel beginnt ....
4. Der Unterricht beginnt ....
5. Die Konferenz beginnt ....
6. Die Prüfung beginnt ....

Ü3 ⟩ **Zeitangaben**
Welches Wort passt in die Reihe? Ergänzen Sie.

▶ Montag	→ Dienstag	→	Mittwoch
1. Mittwoch	→	→	Freitag
2. vormittags	→	→	nachmittags
3. der Nachmittag	→	→	die Nacht
4. Sonntag	→	→	Dienstag
5. abends	→	→	morgens
6. Freitag	→	→	Sonntag
7. Guten Morgen!	→	→	Guten Abend!
8. die Sekunde	→	→	die Stunde
9. die Stunde	→	→	die Woche

Ü4 ⟩ **Mein Tagesablauf**
Ergänzen Sie die Präpositionen.

▶ Am Sonntagnachmittag fährt Frau Müller nach München.
1. Sie arbeitet .... Montag .... Donnerstag.
  .... Freitag arbeitet sie nicht.
2. .... Vormittag schreibt Frau Müller E-Mails.
3. Die Besprechung fängt .... 13.30 Uhr an.
4. .... 13.30 ....14.30 Uhr spricht sie mit Kollegen.
5. Die Präsentation ist .... Freitag .... 15.00 Uhr.
6. Wann ist die Präsentation zu Ende? .... 16.30 Uhr.

Ü5 › Was können diese Menschen gut?
Schreiben Sie Sätze.

① Fahrrad fahren ② Schach spielen ③

Hans   ich   Herr König   sie

Fahrrad fahren ④ ⑤ Schach spielen ⑥ Handball spielen ⑦

ihr   ihr   Herr Kunze und Herr Bauer   sie *(Pl.)*

▶ *Hans kann gut Auto fahren.*

1. ....

2. ....

3. ....

4. ....

5. ....

6. ....

7. ....

Ü6 › Was können wir machen?
Schreiben Sie Sätze wie im Beispiel. Achten Sie auf die Wortstellung und die Verben.

▶ *ihr ▪ am Mittwoch ▪ ins Kino gehen ▪ können*   *Ihr könnt am Mittwoch ins Kino gehen.*

1. *ich ▪ am Sonntag ▪ Tennis spielen ▪ können*   ....

2. *du ▪ gut ▪ Gitarre spielen ▪ können?*   ....

3. *ich ▪ Petra ▪ morgen ▪ besuchen ▪ können*   ....

4. *wann ▪ wir ▪ zusammen kochen ▪ können?*   ....

5. *du ▪ jetzt ▪ Pause machen ▪ können*   ....

6. *ihr ▪ heute ▪ zwei Stunden ▪ fernsehen ▪ können*   ....

Ü7 › Wie lange ...? Was der Mensch in seinem Leben so macht.
Ergänzen Sie die Verben in der richtigen Form.

▶ Ein Mensch *lebt* *(leben)* durchschnittlich 80 Jahre.

1. Er .... *(schlafen)* etwa 24 Jahre und 4 Monate.

2. 12 Jahre .... er .... *(fernsehen)*.

3. 12 Jahre .... *(sprechen)* er mit anderen Menschen.

4. Er .... *(arbeiten)* 8 Jahre.

5. 5 Jahre .... *(essen)* und .... *(trinken)* er
und 2 Jahre und 2 Monate .... *(kochen)* er.

6. 2 Jahre und 6 Monate .... *(sitzen)* er im Auto.

7. 1 Jahr und 7 Monate .... *(treiben)* er Sport.

8. 12 Monate .... *(gehen)* er ins Kino, Theater oder auf Konzerte.

9. Nur 9 Monate .... *(spielen)* er mit seinen Kindern.

Ü8 > **Berufe. Wer macht was?**
Trennbare und nicht trennbare Verben. Schreiben Sie Sätze.

▶ Christine ist Assistentin.
(sie ▪ Kollegen ▪ anrufen) *Sie ruft Kollegen an.*

1. Gisela ist Studentin.
(sie ▪ jeden Tag ▪ Vorlesungen und Seminare ▪ besuchen) ....
....

2. Karl arbeitet als Kellner.
(er ▪ Gäste ▪ bedienen) ....

3. Paula ist Informatikerin.
(sie ▪ Computerprogramme ▪ entwickeln) ....

4. Dr. Klein ist Hausarzt.
(er ▪ Patienten ▪ untersuchen) ....

5. Frau Keller ist Lehrerin.
(sie ▪ Kinder ▪ unterrichten) ....

6. Andreas ist Manager.
(er ▪ um 6.00 Uhr ▪ aufstehen) ....

7. Frau Limbach ist Logistikmanagerin.
(sie ▪ Produkte ▪ für ihre Firma ▪ einkaufen) ....
....

8. Lydia ist Sekretärin.
(sie ▪ um 8.00 Uhr ▪ mit der Arbeit ▪ beginnen) ....
....

9. Frida ist Künstlerin.
(sie ▪ viele Bilder ▪ malen) ....

Ü9 > **Rätsel: Ein Telefongespräch**
Wie heißt das Lösungswort? Schreiben Sie die Wörter mit großen Buchstaben.

▶ Guten | T | A | G |, Peter Möllemann hier.

1. Ich möchte bitte | F | | | Ehrmann sprechen.

2. Ist es | D | R | I | | | D | ?

3. Ja, ich möchte ein | | O | | K | T | präsentieren.

4. Frau Ehrmann hat gerade eine | B | E | | | | | U | N | G |.

5. Hat Frau Ehrmann | A | M | Nachmittag Zeit?

6. Nein, dann schreibt Frau Ehrmann einen | E | | | T |.

7. Sie können heute | E | I | D | E | R | nicht mit Frau Ehrmann sprechen.

8. Vielleicht ist es am | D | O | | | möglich.

9. Dann | R | | ich morgen wieder AN.

10. Am Vormittag besucht Frau Ehrmann eine | K | O |.

Ü10 Tätigkeiten
Was passt zusammen? Ordnen Sie zu.

▶ E-Mails	☐	☐	a) kaufen
1. Kollegen	☐	☐	b) arbeiten
2. mit dem Auto ins Büro	☐	☐	c) schreiben
3. Schuhe	☐	☐	d) anrufen
4. Daten	☐	☐	e) besuchen
5. als Statistikerin	☐	☐	f) fahren
6. Vorlesungen und Seminare	☐	☐	g) gehen
7. ein Praktikum	☐	☐	h) aufstehen
8. mit Freunden in ein Restaurant	☐	☐	i) machen
9. um 8.00 Uhr	☐	☐	j) analysieren

Ü11 Interview mit einer Journalistin
Formulieren Sie die Fragen des Reporters an Frau Eschenbach.
Lesen Sie danach den Beispieldialog im Lösungsheft.

Reporter: Heute möchte ich mit Frau Elvira Eschenbach über ihren Tagesablauf sprechen. Frau Eschenbach arbeitet als Journalistin für eine Regionalzeitung. Wo wohnen Sie, Frau Eschenbach?

Frau Eschenbach: Ich wohne in Dresden.

Reporter: Wann beginnt Ihr Tag? Um wie viel .... ?

Frau Eschenbach: Ich stehe meistens um 7.00 Uhr auf.

Reporter: Was .... ?

Frau Eschenbach: Ich frühstücke nicht. Morgens habe ich keinen Hunger.

Reporter: Machen .... ?

Frau Eschenbach: Nein, ich mache keine Gymnastik.

Reporter: Wann .... ?

Frau Eschenbach: Ich fahre um 8.00 Uhr ins Büro.

Reporter: Fahren .... ?

Frau Eschenbach: Ja, ich fahre mit dem Auto. Das ist praktisch und schnell.

Reporter: Was .... ?

Frau Eschenbach: Also, ich habe immer viel zu tun. Ich recherchiere im Internet, schreibe Artikel, mache Interviews und Fotos. Ich habe jeden Tag zwei oder drei Besprechungen.

Reporter: Wann .... ?

Frau Eschenbach: Von 12.00 bis 12.30 Uhr.

Reporter: Was .... ?

Frau Eschenbach: Am Abend gehe ich ins Fitnessstudio oder mit Freunden in ein Restaurant.

Reporter: Wann gehen Sie .... ?

Frau Eschenbach: Um halb zwölf oder um Mitternacht.

Wichtige Wörter und Wendungen

 Wiederholen Sie die Wörter und Wendungen.
Die Redemittel zum Hören und zweisprachige Übersichten finden Sie unter
http://www.schubert-verlag.de/spektrum.a1.dazu.php#K4

Zeitpunkt und Zeitdauer

- Wie spät ist es? Es ist *(15.00 Uhr)*.
- Es ist *(Viertel vor zehn)*, *(Viertel nach zwölf)*.
- Wann beginnt *(der Unterricht)*? Um *(18.30 Uhr)*.
- Wie lange dauert *(das Konzert)*? *(3)* Stunden.
- Wann ist *(die Besprechung)* zu Ende?
- *(Sie)* ist um *(16.30 Uhr)* zu Ende.
- Was machst du am *(Montag)* um *(11.00 Uhr)*?
- Am *(Montag)* präsentiere ich von *(11.00 Uhr)* bis *(12.00 Uhr)* mein Projekt.
- Wann hast du am *(Freitag)* Zeit?
- Am *(Freitag)* kann ich leider nicht.
- Vielleicht können wir am *(Mittwoch)* ins Museum gehen.
- Ein Jahr hat: 12 Monate, 52 Wochen, 365 Tage, 8 760 Stunden, 525 600 Minuten, 31 536 000 Sekunden.

Tagesablauf, alltägliche Aktivitäten

- Martina steht meistens um *(7.00 Uhr)* auf.
- Um *(7.30 Uhr)* frühstückt sie.
- Danach macht sie Gymnastik.
- Um *(8.00 Uhr)* fährt Martina ins Büro.
- Von *(8.30 Uhr)* bis *(12.00 Uhr)* arbeitet sie.
- Sie analysiert Daten.
- Sie schreibt viele E-Mails und Berichte.
- Sie hat jeden Tag eine Besprechung.
- Sie ruft manchmal Kollegen an.
- *(Um 12.00 Uhr)* macht sie Mittagspause.
- *(Um 17.00 Uhr)* fährt Martina in die Stadt.
- Dort kauft sie ein.
- *(Um 9.00 Uhr)* geht Jonas in die Universität.
- Er besucht Vorlesungen und Seminare.
- Er macht auch ein Praktikum.
- Abends sitzt er in der Bibliothek.
- Danach geht Jonas aus.
- Um *(24.00 Uhr)* geht er ins Bett.
- Die Österreicher treiben viel Sport.
- Sie hören Radio.
- Abends sehen sie fern.

Tage und Tageszeiten

die Woche:

- die Arbeitstage: der Montag, der Dienstag, der Mittwoch, der Donnerstag, der Freitag
- das Wochenende: der Samstag/Sonnabend, der Sonntag
- Ich habe jeden Tag eine Besprechung.

die Tageszeiten:

- der Morgen, der Vormittag, der Mittag, der Nachmittag, der Abend, die Nacht
- morgens, vormittags, mittags, nachmittags, abends, nachts

Telefonieren

- Guten Tag. Hier ist *(Otto Gruber)*.
- Ich möchte bitte mit *(Frau Lustig)* sprechen.
- Ist es dringend?
- Ich möchte *(eine Projektidee)* vorstellen.
- Hat *(Frau Lustig)* morgen Zeit?
- Sie können gerne am *(Montag)* wieder anrufen.
- Welche Telefonnummer hat *(Frau Esser)*?
- Auf Wiederhören.

Verben im Kontext und Strukturen

> ## Verben des Kapitels
> Lesen Sie die Verben. Üben Sie die Verben am besten mit Beispielsatz.

Verb	Beispielsatz
• analysieren	Martina analysiert Daten.
• anfangen	Wann fängt die Telekonferenz an?
• anrufen	Martina ruft manchmal Kollegen an.
• aufstehen	Er steht um 9.00 Uhr auf.
• ausgehen	Abends geht Jonas aus.
• beginnen	Der Unterricht beginnt um 18.30 Uhr.
• dauern	Das Konzert dauert zwei Stunden.
• einkaufen	Martina kauft ein.
• fahren	Um 10.15 Uhr fährt Konrad nach Köln.
• feiern	Am Wochenende feiern wir gern Partys.
• fernsehen	Menschen in Österreich sehen durchschnittlich zwei Stunden fern.
• frühstücken	Jonas frühstückt in der Universität.
• können	Ich kann gut Tennis spielen.
• recherchieren	Frau Eschenbach recherchiert im Internet.
• schlafen	Ein Mensch schläft etwa 24 Jahre und 4 Monate.
• sitzen	Von 18.00 bis 20.00 Uhr sitzt Jonas in der Bibliothek.
• telefonieren	Wann telefonierst du mit Klaus?
• treiben	Viele Österreicher treiben Sport.
• vorstellen	Otto stellt seine Projektidee vor.
• wiederholen	Ich wiederhole die Telefonnummer: 9 87 53 62.

> ## Verben mit Besonderheiten

	anfangen	schlafen	sprechen	können
ich	fange an	schlafe	spreche	**kann**
du	fängst an	schläfst	sprichst	**kannst**
er/sie/es	fängt an	schläft	spricht	**kann**
wir	fangen an	schlafen	sprechen	können
ihr	fangt an	schlaft	sprecht	könnt
sie	fangen an	schlafen	sprechen	können
Sie	fangen an	schlafen	sprechen	können

> ## Verben mit Präfix

trennbare Verben	anfangen:	ich fange **an**
	aufstehen:	ich stehe **auf**
	ausgehen:	ich gehe **aus**
	einkaufen:	ich kaufe **ein**
	fernsehen:	ich sehe **fern**
nicht trennbare Verben	beginnen:	ich beginne
	entwickeln:	ich entwickle

▸ Viele Verben mit *unter-* und *über-* sind nicht trennbar,
 z. B. *unterrichten: ich unterrichte* • *übernachten: ich übernachte*

Satzbau

	Position 1	Position 2	Mittelfeld	Satzende
Aussagesatz	Andreas	kann	heute nicht ins Museum	gehen.
	Martina	steht	um 7.00 Uhr	auf.
Fragesatz mit Fragewort	Wann	können	wir ins Museum	gehen?
	Wann	steht	Martina	auf?
Ja-Nein-Frage	Kannst	du	heute ins Museum	gehen?
	Stehst	du	morgen um 8.00 Uhr	auf?

Präpositionen

an	Hast du am Montag Zeit?	an dem → am
um	Der Unterricht beginnt um 18.30 Uhr.	
von ... bis	Ich arbeite von 9.00 bis 17.30 Uhr.	
vor	Es ist Viertel vor zehn.	
nach	Es ist 5 Minuten nach 12.	
zu	Max geht zum Arzt.	zu dem → zum
für	Peter lernt für die Prüfung.	

Adverbien

montags/dienstags ...	Wir haben montags um 15.00 Uhr eine Besprechung.
morgens/abends/nachts	Abends geht Jonas aus.
manchmal/oft/meistens	Manchmal schreibt Martina Berichte. Sie telefoniert oft mit Kollegen. Sie fährt meistens mit dem Motorroller ins Büro.

Kleiner Abschlusstest

Was können Sie schon? Testen Sie sich selbst.

T1 ⟩ **Wie spät ist es?**
Hören und schreiben Sie die Uhrzeit.

.... /2

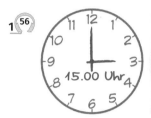
15.00 Uhr

T2 ⟩ **Zeitpunkt und Dauer**
Bilden Sie Fragen.

.... /4

▶ Wie spät ist es?

1. ....?   Es ist 12.00 Uhr.
2. ....?   Der Unterricht beginnt um 18.30 Uhr.
3. ....?   Er dauert zwei Stunden.
4. ....?   Das Fußballspiel geht von 19.00 bis 21.00 Uhr.
                                                 Am Montag habe ich leider keine Zeit.

T3 ⟩ **Wochentage**
Nennen Sie alle Tage mit *-o-*:

.... /2

....

T4 ⟩ **Ein Jahr hat ...**
Ergänzen Sie die Nomen im Plural.

.... /2

Ein Jahr hat:

12 ...., 52 ....,

365 Tage, 8 760 Stunden,

525 600 .... und 31 536 000 ....

T5 ⟩ **Der Tagesablauf von Anna**
Schreiben Sie Sätze.

.... /10

▶ *8.00 Uhr ▪ aufstehen*   Anna steht um 8.00 Uhr auf.

1. *8.30 Uhr ▪ frühstücken* ....
2. *9.00 Uhr ▪ ins Büro fahren* ....
3. *9.30–18.00 Uhr ▪ arbeiten* ....
4. *viele Kollegen anrufen* ....
5. *drei Berichte lesen* ....
6. *viele E-Mails schreiben* ....
7. *12.00 Uhr ▪ Pause machen* ....
8. *nachmittags ▪ ein Projekt präsentieren* ....
9. *abends ▪ fernsehen* ....
10. *23.00 Uhr ▪ ins Bett gehen* ....

Essen und Trinken

Einen Text über beliebte Speisen und Getränke verstehen
> *Am liebsten essen die Deutschen ...* ▪ *Die Öster-reicher mögen ...* ▪ *In der Schweiz trinkt man ...*

Über eigene Vorlieben und typische Gerichte und Getränke im Heimatland berichten
> *In Polen trinkt/isst man am liebsten ...* ▪ *Ich mag ...*

Lebensmittel benennen
> *der Apfel* ▪ *die Milch* ▪ *das Brot ...*

Speisen und Getränke im Restaurant bestellen
> *Als Vorspeise nehme ich die Tomatensuppe.*

Bitten formulieren und Fragen zum Essen stellen
> *Ich hätte gern ein Bier.* ▪ *Was isst du mittags?*

Über Restaurants in der Heimatstadt und internatio-nale Spezialitäten berichten
> *In meiner Heimatstadt gibt es italienische Restau-rants.* ▪ *Ich esse gern ungarische Salami.*

Einen Text über Süßigkeiten verstehen
> *Toblerone, Mozartkugeln und Gummibärchen*

1 Beliebte Speisen und Getränke
a Hören und lesen Sie.

 1 57

①

Von Montag bis Freitag essen viele Deutsche mittags in der Kantine.
Am liebsten essen sie dort Curry-wurst oder Pizza.

②

Die Deutschen trinken im Durch-schnitt 110 Liter Bier, 140 Liter Mineralwasser und 1 184 Tassen Kaffee im Jahr.
In Deutschland kann man 500 ver-schiedene Sorten Mineralwasser kaufen.

③

Zum Frühstück trinkt man in der Schweiz Milchkaffee.
Die Schweizer trinken auch gern Bier (im Durchschnitt 57 Liter im Jahr) und Wein (37 Liter im Jahr).

④

Die Schweiz ist für Käse und Schokolade bekannt.
Mittags essen die Schweizer gern einfache, schnelle Gerichte, zum Beispiel Rösti mit Bratwurst.

⑤

Österreicher mögen Kaffee und Tee. Sie trinken im Jahr pro Person 162 Liter Kaffee und 126 Liter Tee.

⑥

Das berühmte Wiener Schnitzel mit Kartoffelsalat isst man in Österreich gern.

⑦

Abends isst man in Deutschland und Österreich traditionell Brot mit Käse und Wurst oder einen Salat.

b Ergänzen Sie die Informationen aus a).
  Arbeiten Sie zu zweit.

Was isst/trinkt man gern …?

zum Frühstück	in der Schweiz: Milchkaffee
mittags/zu Mittag	in Deutschland: ....
	in Österreich: ....
	in der Schweiz: ....
abends/zum Abendessen	in Deutschland und Österreich: ....
	....
im Durchschnitt	in Deutschland: ....
	in Österreich: ....
	in der Schweiz: ....

2 Klassenspaziergang: Beliebte Getränke
a Sprechen Sie mit vielen Teilnehmern. Notieren Sie die Antworten.

 ① der Kaffee
der Milchkaffee
der Espresso

 ② die Milch

 ③ der Tee
der Kräutertee
der Eistee

 ④ der Wein
der Weißwein
der Rotwein

 ⑤ das Bier

 ⑥ das Wasser
das Mineral-
wasser
(mit/ohne
Sprudel)

 ⑦ der Saft
der Orangen-
saft

 ⑧ die Limonade
die Cola

 ⑨ der Kakao

Fragen

▪ Was trinken die Menschen in deinem/Ihrem
  Heimatland
  – zum Frühstück,
  – mittags,
  – abends?
▪ Was trinkst du/trinken Sie gern?

Antworten

▪ Ich komme aus (Polen). In (Polen) trinkt man
  – zum Frühstück (viel Kaffee),
  – mittags (Mineralwasser),
  – abends (Bier).
▪ Ich trinke gern/viel
  (Kaffee/Bier).

b Berichten Sie.

▶ Juan kommt aus Spanien. In Spanien trinkt man zum
  Frühstück gern …, mittags … und abends … Juan trinkt am
  liebsten Kaffee.

3 So essen Sie gesund
Hören und lesen Sie.

1 (58) Sie essen ...

selten: Backwaren und Süßwaren

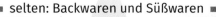

| der Kuchen | die Torte | die Schokolade |

wenig: Fette und Öle

| die Butter | die Sahne | das Öl |

ein- oder zweimal am Tag: Fleisch und Wurst

| das Rindfleisch | das Hühnerfleisch | die Bratwurst | die Leberwurst | der Schinken |

zwei- oder dreimal am Tag: Milchprodukte, Fisch und Eier

| der Quark | der Joghurt | der Käse | der Lachs | das Ei |

dreimal am Tag: Getreideprodukte und Kartoffeln

| der Reis | die Nudeln (Pl.) | das Brot | das Brötchen | die Kartoffel |

fünfmal am Tag: Obst und Gemüse

| die Paprika | die Gurke | die Zwiebel | der Salat | das Sauerkraut |

| der Apfel | die Birne | die Erdbeere | die Banane | die Ananas | die Tomate |

4 Interview: Essen

a Fragen Sie drei Kursteilnehmer und notieren Sie die Antworten.

Frage	Antwort		
	Name:	Name:	Name:
Was isst du/essen Sie ▪ gern/am liebsten ▪ oft/viel ▪ selten/wenig?			
Was magst du/mögen Sie nicht?			

b Berichten Sie.

▶ Vera isst gern Äpfel und Käse.
  Sie isst viel Obst und wenig Schokolade.
  Vera mag keine Kartoffeln.

> **Strukturen**
>
> **mögen**
> ▪ ich **mag**
> ▪ du **magst**
> ▪ er/sie **mag**
> ▪ wir **mögen**
> ▪ ihr **mögt**
> ▪ sie/Sie **mögen**

5 Fragen und Antworten

a Was magst du? Formulieren Sie Fragen und positive Antworten.
  Spielen Sie einen Dialog.

▶ *mögen ▪ du ▪ Bier?* **A:** Magst du Bier?
  B: Ja, ich mag Bier.

1. *trinken ▪ du ▪ gern ▪ Orangensaft?* **B:** ....?
   A: Ja, ...

2. *trinken ▪ du ▪ gern ▪ Milch?* **A:** ....?
   B: Ja, ...

3. *essen ▪ du ▪ gern ▪ Obst?* **B:** ....?
   A: Ja, ...

4. *mögen ▪ du ▪ Schokolade?* **A:** ....?
   B: Ja, ...

5. *essen ▪ du ▪ viel ▪ Fleisch?* **B:** ....?
   A: Ja, ...

6. *essen ▪ du ▪ gern ▪ Kuchen?* **A:** ....?
   B: Ja, ...

b Was mögen Sie? Formulieren Sie Fragen und positive Antworten. Spielen Sie einen Dialog.

1. *mögen ▪ Sie ▪ Joghurt?* **A:** ....?
   B: Ja, ...

2. *trinken ▪ Sie ▪ gern ▪ Tee?* **B:** ....?
   A: Ja, ...

3. *mögen ▪ Sie ▪ Salat?* **A:** ....?
   B: Ja, ...

4. *essen ▪ Sie ▪ gern ▪ Nudeln?* **B:** ....?
   A: Ja, ...

6 **Lebensmittel in Ihrem Heimatland**
Berichten Sie.

- Welche Lebensmittel isst man oft in Ihrem Heimatland?
- Welche Produkte isst man selten/nie?
- Was ist besonders teuer? Was kostet wenig Geld?

7 **Strukturen: Komposita**
a Was passt zusammen? Finden Sie viele Kombinationen.

- der Salat
- die Suppe
- das Brötchen
- der Kuchen
- der Saft

▶ Tomaten-	der Tomatensalat, die Tomatensuppe, der Tomatensaft
1. Kartoffel-	....
2. Apfel-	....
3. Schinken-	....
4. Nudel-	....
5. Fisch-	....
6. Käse-	....

b Ergänzen Sie den Artikel.

die Tomate	+	der	Saft	=	der	Tomatensaft
die Tomate	+	....	Suppe	=	die	Tomatensuppe
der Käse	+	das	Brötchen	=	....	Käsebrötchen
die Kartoffel	+	der	Salat	=	....	Kartoffelsalat

▸ Das letzte Nomen bestimmt den Artikel.

8 **Phonetik: Komposita**
Hören und lesen Sie. Markieren Sie den Wortakzent.

▶ Tomate + Saft = Tomatensaft
1. Kartoffel + Salat = Kartoffelsalat
2. Schokolade + Torte = Schokoladentorte
3. Käse + Brötchen = Käsebrötchen
4. Apfel + Kuchen = Apfelkuchen
5. Nudel + Suppe = Nudelsuppe
6. Schinken + Pizza = Schinkenpizza

9 **Im Restaurant**
a Hören Sie den Dialog. Sind die Aussagen richtig oder falsch? Kreuzen Sie an.

	richtig	falsch
▶ Max trinkt Mineralwasser.	☒	☐
1. Lisa trinkt Rotwein.	☐	☐
2. Max isst eine Vorspeise, ein Hauptgericht und ein Dessert.	☐	☐
3. Lisa isst nur ein Hauptgericht.	☐	☐
4. Max findet sein Hauptgericht nicht lecker.	☐	☐
5. Lisa schmecken die Nudeln gut.	☐	☐

b Ergänzen Sie die Verben in der richtigen Form.
   Arbeiten Sie zu zweit. Hören Sie danach den Dialog aus Aufgabe a) noch einmal.

▶ *Können* (können) wir bitte die Speisekarte haben?

1. .... (möchte-) Sie schon etwas trinken?

2. Ich .... (nehmen) ein Mineralwasser ohne Sprudel.

3. Die Getränke .... (kommen) sofort.

4. Was .... (nehmen) du?

5. Ich denke, ich .... (nehmen) als Vorspeise die Tomatensuppe und als Hauptgericht das Schnitzel mit Kartoffelsalat.

6. Ich .... (essen) Nudeln mit Hühnerfleisch.

7. .... (möchte-) du keine Vorspeise?

8. Nein, ich .... (nehmen) nur die Nudeln.

9. Wie .... (schmecken) dein Schnitzel?

10. Das Fleisch .... (sein) zu zäh.

11. Der Kartoffelsalat .... (schmecken) auch nicht.

12. Wie .... (finden) du die Nudeln?

13. Die Nudeln .... (sein) lecker.

14. Du .... (haben) wieder Glück!

c Lesen Sie die Sätze aus dem Dialog.

Lisa: Und ich hätte gern ein Glas Weißwein.

Max: Wir hätten gern ein Schnitzel mit Kartoffelsalat, einmal Nudeln mit Hühnerfleisch und ein Stück Apfelkuchen.

▸ Ich hätte gern …/Wir hätten gern … ⟶ höfliche Bitte

▶ **Redemittel**

Im Restaurant

etwas bestellen:
- Ich hätte gern …
- Ich möchte bitte …
- Ich nehme …

Wünsche:
- Guten Appetit!
  – Danke, gleichfalls.
- Prost! (bei Bier)
- Zum Wohl! (bei Wein)

etwas bezahlen:
- Ich möchte bitte zahlen.
- Die Rechnung bitte.

10 Ihre Bestellung
Lesen Sie die Speisekarte und bestellen Sie eine Vorspeise, ein Hauptgericht, ein Dessert und ein Getränk.

- Als Vorspeise möchte ich gerne … ▪ Als Hauptgericht nehme ich …
- Als Dessert hätte ich gerne … ▪ Und ich trinke …

Vorspeisen
Tomatensalat	4,50 €
Gurkensalat	4,50 €
Tomatensuppe	3,60 €
Gemüsesuppe	4,10 €

Hauptgerichte
Schnitzel mit Kartoffelsalat	8,80 €
Bratwurst mit Kartoffeln und Sauerkraut	6,30 €
Steak mit Bratkartoffeln und Gemüse	11,20 €
Nudeln mit Hühnerfleisch	7,50 €
Currywurst mit Pommes	4,50 €
Hühnercurry mit Reis	8,60 €

Speisekarte

Desserts
Apfelkuchen	2,80 €
Schokoladenkuchen	3,20 €
Eis mit Sahne	5,10 €
Obstsalat	4,50 €

11 **Das Essen schmeckt nicht!**
Formulieren Sie Fragen und Antworten. Spielen Sie Dialoge.

▶ *(das Schnitzel)*   **A:** Wie schmeckt das Schnitzel?
    (+)   **B:** Es schmeckt gut/sehr gut/ausgezeichnet.
    (–, zu zäh)   **B:** Es schmeckt nicht./Es schmeckt nicht gut. Es ist zu zäh.

1. *(dein Kaffee)*   **A:** Wie ....?
    (–, kalt)   **B:** Er ....

2. *(die Nudeln, Pl.)*   **B:** ....?
    (+)   **A:** ....

3. *(der Schokoladenkuchen)*   **B:** ....?
    (–, zu süß)   **A:** ....

4. *(der Obstsalat)*   **A:** ....?
    (–, zu sauer)   **B:** ....

5. *(die Currywurst)*   **B:** ....?
    (–, zu scharf)   **A:** ....

6. *(das Steak)*   **A:** ....?
    (+)   **B:** ....

7. *(das Eis)*   **B:** ....?
    (+)   **A:** ....

12 **Strukturen: Die Negation**

a Lesen Sie die Sätze und markieren Sie *nicht* und *kein-*.
Ergänzen Sie die Regeln.

> **Negation**

Verben	• Der Salat <u>schmeckt</u> nicht. • Ich <u>esse</u> den Salat nicht. • Ich <u>kann</u> heute nicht <u>kochen</u>.
Adjektive und Adverbien	• Der Salat ist nicht <u>lecker</u>. • Ich esse nicht <u>gern</u> Salat.
lokale Angaben	• Ich gehe heute nicht <u>ins Restaurant</u>.
Nomen	• Ich möchte keine <u>Vorspeise</u>. • Ich esse kein <u>Fleisch</u>.

▸ *Nicht* steht oft am .... oder vor dem Infinitiv.
▸ *Nicht* steht vor Adjektiven, Adverbien und lokalen Angaben.
▸ *Kein-* steht nur vor ....

b Negieren Sie die Sätze.

▶ Ich esse <u>ein Schnitzel</u>.
Ich esse *kein Schnitzel*.

1. Ich <u>esse</u> das Schnitzel.
....

2. Ich möchte <u>ein Eis</u>.
....

3. Den Salat finde ich <u>lecker</u>.
....

4. Ich esse <u>gern</u> Currywurst.
....

5. Ich <u>koche</u> heute.
....

6. Ich esse mittags <u>in der Kantine</u>.
....

7. Maria trinkt abends <u>Kaffee</u>.
....

13 Zehn wichtige Dinge in der Küche
a Hören und lesen Sie.

das Messer

die Gabel

der Löffel

der Teller

die Tasse

das Glas

der Topf

die Pfanne

der Pfeffer

das Salz

b Ohne Messer kann ich nicht essen.
Schreiben Sie Sätze wie im Beispiel und spielen Sie Dialoge.

> ▶ *(Messer ▪ essen)*
> A: Ich brauche ein Messer.
> B: Tut mir leid, ich habe kein Messer.
> A: Ohne Messer kann ich nicht essen.

> ▶ **Redemittel**
> ▪ Tut mir leid, ich habe keinen/keine/kein …

1. *(Gabel ▪ essen)*
   B: Ich brauche................................
   A: Tut mir leid, ich habe...................
   B: Ohne Gabel kann............................

2. *(Topf ▪ kochen)*
   A: ....
   B: ....
   A: ....

3. *(Glas ▪ trinken)*
   B: ....
   A: ....
   B: ....

4. *(Löffel ▪ essen)*
   A: ....
   B: ....
   A: ....

5. *(Salz ▪ kochen)*
   B: ....
   A: ....
   B: ....

6. *(Tasse ▪ trinken)*
   A: ....
   B: ....
   A: ....

14 Phonetik
a Hören Sie und lesen Sie laut.

  ▷ *r*-Laute [ʁ] und [ɐ]

r-Laut [ʁ] als Konsonant	*r*-Laut [ɐ] als Vokal
▪ Torte ▪ Joghurt ▪ Reis ▪ Brot	▪ Wasser ▪ Bier ▪ Dessert ▪ Messer
▸ [ʁ] nach kurzem Vokal *(Torte)*, am Anfang von Wörtern und Silben *(Reis)* und nach Konsonanten *(Brot)*	▸ [ɐ] nach langem Vokal *(Bier)* und in *-er/er- (Wasser)*

b Lesen Sie die Wörter laut.

▪ Butter ▪ Wurst ▪ Quark ▪ Teller
▪ Rindfleisch ▪ Joghurt ▪ Wasser
▪ Kräutertee ▪ Reis ▪ Brot ▪ Bier
▪ Kartoffel ▪ Birne ▪ Gurke
▪ Dessert ▪ Messer

> **Hinweis**
> ▪ [ɐ] ist ein Reduktionsvokal. Sie sprechen [ɐ] sehr schwach, leise und undeutlich.

15 Partnerarbeit: Bitten und Reaktionen

Formulieren Sie Bitten, Ihre Partnerin/Ihr Partner reagiert darauf. Tauschen Sie danach die Rollen.

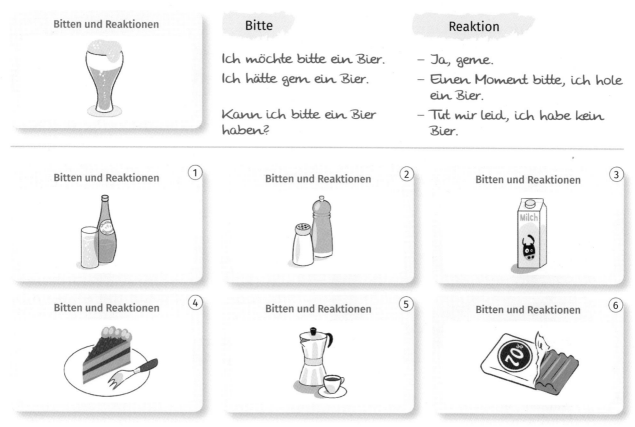

Bitten und Reaktionen	Bitte	Reaktion
	Ich möchte bitte ein Bier.	– Ja, gerne.
	Ich hätte gern ein Bier.	– Einen Moment bitte, ich hole ein Bier.
	Kann ich bitte ein Bier haben?	– Tut mir leid, ich habe kein Bier.

16 Partnerarbeit: Nach Informationen fragen

Formulieren Sie Fragen, Ihre Partnerin/Ihr Partner antwortet. Tauschen Sie danach die Rollen.

Thema: Essen und Trinken	Frage	Antwort
Kaffee	Trinkst du (gern/viel) Kaffee?	– Ja, ich trinke gern/viel Kaffee. – Nein, ich trinke nicht gern/viel Kaffee.
	Wann trinkst du Kaffee?	– Ich trinke morgens Kaffee.
	Wo trinkst du Kaffee?	– Kaffee trinke ich im Büro.

17 Restaurants

a Lesen Sie den Text. Unterstreichen Sie die Adjektive.

> ### ■ Restaurants in Deutschland
>
> In Deutschland gibt es rund 125 000 Restaurants, Gaststätten und Cafés. Viele Restaurants bieten <u>deutsche</u> Gerichte an. Man kann aber auch internationale Gerichte essen. In Berlin findet man z. B.
> ₅ 190 italienische Restaurants, 64 französische Restaurants, 36 indische, 30 spanische, 29 chinesische, 26 griechische, 23 thailändische, 10 mexikanische und 8 russische Restaurants. Auch für Feinschmecker gibt es in Deutschland interessante Angebote:
> ₁₀ Im Guide Michelin Deutschland stehen 282 Sterne-Restaurants, 11 Restaurants haben 3 Sterne.

b Berichten Sie.

1. Welche Restaurants gibt es in Ihrem Heimatland?
   In meinem Heimatland gibt es (italienische) Restaurants, ...

2. Welche Gerichte mögen Sie?
   Ich mag (italienische) Gerichte, ...

18 Präsentation: Restaurant

Suchen Sie im Internet nach Restaurants in Berlin. Wählen Sie ein Restaurant aus und stellen Sie es vor.

- Wie heißt das Restaurant?
- Wann ist das Restaurant geöffnet?
- Was kann man dort essen?
- Was kostet ein Abendessen?
- Was kostet der Wein?

- *Das Restaurant heißt ...*
- *Es ist von (Dienstag) bis (Sonntag) von (17.00 Uhr) bis (23.00 Uhr) geöffnet.*
- *Man kann dort ... essen. / Auf der Speisekarte stehen: ... / Das Angebot ist groß / klein.*
- *(Eine Pizza) kostet ...*
- *Ein Glas / Eine Flasche Wein kostet ...*

19 Eine Tischreservierung

Reservieren Sie im Restaurant einen Tisch. Spielen Sie einen Dialog. Tauschen Sie die Rollen.

Restaurant *(Napoli)*, guten Tag. **A**

B Ja, guten Tag, ich möchte gern einen Tisch für *(vier)* Personen reservieren.

Wann möchten Sie kommen? **A**

B Am *(Mittwoch)* um *(19.00 Uhr)*.

Am *(Mittwoch)* um *(19.00 Uhr)*, für *(vier)* Personen. **A**
Ja, das geht, wir haben noch einen Tisch frei. Wie ist Ihr Name?

B Mein Name ist *(Ihr Name)*.

Können Sie Ihren Namen bitte buchstabieren? **A**

B Gern: *(Ihr Name)*

Vielen Dank. Wir sehen Sie am *(Mittwoch)*. **A**

B Danke. Bis *(Mittwoch)*. Auf Wiederhören.

20 Internationale Gerichte

a Hören Sie den Dialog.
Über welche Lebensmittel sprechen Sascha und Kerstin? Kreuzen Sie an.

1 🎧 63

☐ Salami   ☐ Brot   ☐ Wein   ☐ Bier   ☐ Wasser   ☐ Kaffee

☐ Milch   ☐ Käse   ☐ Wurst   ☐ Nudeln   ☐ Brötchen   ☐ Eis

b Lesen Sie und hören Sie den Dialog noch einmal.

Sascha: Hallo Kerstin.

Kerstin: Hallo Sascha. Wie geht es dir?

Sascha: Gut. Ich gehe gerade etwas essen. Kommst du mit?

Kerstin: Ja, gerne. Ich habe großen Hunger. Was möchtest du essen?

Sascha: Am liebsten italienisch.

Kerstin: Das ist gut. Ich mag italienische Gerichte und ich liebe italienischen Wein.

Sascha: Ich auch. Ich mag natürlich auch französischen Käse, ungarische Salami und deutsches Brot.

Kerstin: Aber heute essen wir italienisch!

> **Redemittel**
>
> **mitkommen**
> ▪ Ich gehe etwas essen.
>   **Kommst du mit?**

c Lesen Sie den Dialog laut. Tauschen Sie die Rollen.

21 Strukturen: Adjektivendungen ohne Artikel

a Markieren Sie die Endungen der Adjektive.

▶ Was ist das für Wein? Es ist italienischer Wein.

1. Ich mag italienische Gerichte und ich liebe italienischen Wein.
2. Was ist das? – Das hier ist französischer Käse, das ist ungarische Salami und das ist deutsches Brot.
3. Ich mag französischen Käse, ungarische Salami und deutsches Brot.

b Ergänzen Sie die Endungen in der Übersicht.

	Singular			Plural
	maskulin	**feminin**	**neutral**	
Nominativ	der Käse französisch**er** Käse ▸ *Endung:* -er	die Salami ungarisch**e** Salami ▸ *Endung:*	das Brot deutsch**es** Brot ▸ *Endung:*	die Gerichte italienisch**e** Gerichte ▸ *Endung:* -e
Akkusativ	den Käse französisch.... Käse ▸ *Endung:*	die Salami ungarisch.... Salami ▸ *Endung:*	das Brot deutsch.... Brot ▸ *Endung:*	die Gerichte italienisch.... Gerichte ▸ *Endung:* ......

c Was essen/trinken Sie gern? Bilden Sie acht Kombinationen. Arbeiten Sie zu zweit.

▪ russisch ▪ französisch ▪ deutsch
▪ italienisch ▪ spanisch ▪ englisch
▪ schottisch ▪ irisch ▪ schwedisch
▪ ungarisch ▪ polnisch ▪ indisch
▪ chinesisch ▪ japanisch

▪ der Käse ▪ der Schinken ▪ die Wurst
▪ die Nudeln (*Pl.*) ▪ die Kartoffeln (*Pl.*)
▪ die Pommes (*Pl.*) ▪ der Reis ▪ die Äpfel (*Pl.*)
▪ die Bananen (*Pl.*) ▪ die Tomaten (*Pl.*)
▪ der Salat ▪ das Frühstück ▪ der Whisky
▪ der Wein ▪ der Kaffee ▪ der Tee

▶ Ich esse gern französischen Käse.

22 Süße Leckereien

a Hören und lesen Sie die Texte.
Suchen Sie wichtige unbekannte Wörter im Wörterbuch.

 1 64

■ Mozartkugeln aus Österreich

(1)

Die Mozartkugel ist eine Süßware aus Pistazien, Marzipan und Nougat. Sie kommt aus Salzburg und hat ihren Namen von Wolfgang Amadeus Mozart (1756–1791).
5 Der Erfinder der Mozartkugel war der Salzburger Konditor Paul Fürst. Seit 1890 produziert die Konditorei Fürst per Hand 2,75 Millionen Original Salzburger Mozartkugeln im Jahr. Man kann die originalen
10 Mozartkugeln nur in wenigen Geschäften in Salzburg kaufen. Es gibt natürlich auch industriell produzierte Mozartkugeln von anderen Firmen.

■ Schokolade aus der Schweiz

(2)

Die Schokolade kommt ursprünglich aus Lateinamerika. Seit dem 17. Jahrhundert ist sie auch in der Schweiz bekannt. Heute produzieren Schweizer Firmen rund
5 150 000 Tonnen Schokolade im Jahr. Der größte Markt für Schweizer Schokolade ist die Schweiz selbst. Die Schweizer essen pro Person weltweit am meisten Schokolade: rund 12 kg im Jahr. Die bekannteste Schokoladenmarke
10 heißt Toblerone. Man kann Toblerone in 122 Ländern kaufen. Ihr Erfinder war Theodor Tobler. Die Schokolade sieht aus wie die Berge in der Schweiz. Toblerone gibt es seit 1908.

■ Gummibärchen aus Deutschland

(3)

Gummibärchen sind Fruchtgummis in Form von Bären. Sie sind weich, süß und schmecken nach Erdbeeren, Ananas oder Äpfeln. Ihr Erfinder war Hans Riegel aus Bonn. Seit 1922 produziert die Firma Haribo Gummibärchen. Sie ist bis heute Marktführer. Die Deutschen kaufen für 657 Millionen Euro im Jahr Gummibärchen.

b Lesen Sie die Texte laut.

23 Textarbeit

Ergänzen Sie die fehlenden Informationen. Arbeiten Sie zu zweit.
Vergleichen Sie Ihre Ergebnisse mit anderen Teilnehmern.

① **Mozartkugeln**

a) Mozartkugeln gibt es seit ....
b) Ihr Erfinder war ....
c) Die Kugel hat den Namen von ....
d) Die Konditorei Fürst produziert .... mit der Hand.
e) Man kann originale Mozartkugeln nur in wenigen
.... kaufen.

② **Toblerone**

a) Toblerone gibt es seit dem ....
b) Der Erfinder war ....
c) Man kann Toblerone .... kaufen.
d) Die Schokolade sieht aus wie Schweizer ....
e) Die Schweizer mögen Schokolade. Sie essen ....

③ **Gummibärchen**

a) Gummibärchen gibt es seit ....
b) Ihr Erfinder war ....
c) Die Firma Haribo ....
d) Sie ist bis heute ....
e) Die Deutschen kaufen für .... Gummibärchen.

Übungen zur Vertiefung und zum Selbststudium

Ü1 **Lebensmittel**
Ordnen Sie zu.

- der Schinken
- der Quark
- das Brot
- der Reis
- die Tomate
- die Torte
- die Schokolade
- die Ananas
- das Sauerkraut
- ~~der Apfel~~

der Apfel ....

....

Ü2 **Eine Tomate, viele Tomaten**
Ergänzen Sie den Singular.

Singular	Plural	Singular	Plural
die Tomate	die Tomaten	....	die Kartoffeln
....	die Äpfel	....	die Zwiebeln
....	die Birnen	....	die Erdbeeren
....	die Brötchen	....	die Öle

Ü3 **Welches Wort passt nicht?**
Streichen Sie das Wort durch. Ordnen Sie den Lebensmitteln einen Oberbegriff zu.

- Fleisch und Wurst - ~~Backwaren und Süßwaren~~ - Milchprodukte - Getreideprodukte - Obst - Gemüse

▶ *der Kuchen • die Schokolade • ~~die Salami~~ • die Torte*   Backwaren und Süßwaren
1. *der Apfel • die Banane • die Birne • die Zwiebel*   ....
2. *der Quark • der Schinken • der Joghurt • der Käse*   ....
3. *die Leberwurst • die Kartoffel • das Hühnerfleisch • das Schnitzel*   ....
4. *das Brot • der Reis • die Nudeln • die Eier*   ....
5. *der Fisch • die Tomate • die Gurke • das Sauerkraut*   ....

Ü4 **Rätsel: Essen und Trinken**
Wie heißt das Lösungswort?
Schreiben Sie die Wörter mit großen Buchstaben.

▶	Gemüse	G U R K E					
1.	Getränk mit Koffein			F			
2.	Süßigkeit				K O		E
3.	Teigwaren				L N		
4.	Obst	B		E			
5.	süßes Getränk	L	M				

Ü5 ⟩ **Magst du Äpfel?**
Schreiben Sie Sätze. Achten Sie auf die Wortstellung und das Verb.

▶ *du ▪ mögen ▪ Äpfel?*   *Magst du Äpfel?*

1. *ich ▪ mögen ▪ keine Äpfel* ....

2. *ihr ▪ viel ▪ Obst ▪ essen?* ....

3. *lieber ▪ Gemüse ▪ wir ▪ essen* ....

4. *gern ▪ Fisch ▪ essen ▪ du?* ....

5. *Fisch ▪ sehr gern ▪ ich ▪ essen* ....

6. *Bratwurst mit Sauerkraut ▪ Sie ▪ mögen?* ....

7. *mein Mann ▪ Bratwurst mit Sauerkraut ▪ mögen* ....

8. *Frau Müller ▪ mittags ▪ gern ▪ Currywurst ▪ essen* ....

Ü6 ⟩ **Der Salat schmeckt nicht!**
Schreiben Sie die Sätze mit *nicht*.

▶ Der Salat schmeckt.   *Der Salat schmeckt nicht.*

1. Ich esse gern Fisch. ....

2. Martin kann gut kochen. ....

3. Der Chef isst mittags in der Kantine. ....

4. Zu viel Süßes ist gesund. ....

5. Ich mag dieses Gericht. ....

6. Mama kocht heute Abend. ....

Ü7 ⟩ **Hast du einen Teller?**
Formulieren Sie Fragen und Antworten wie im Beispiel.

▶ *(der Teller)*   *Hast du einen Teller?*   *Nein, ich habe leider keinen Teller.*

1. *(die Tasse)* ....? ....

2. *(der Löffel)* ....? ....

3. *(das Messer)* ....? ....

4. *(der Topf)* ....? ....

5. *(das Glas)* ....? ....

6. *(die Pfanne)* ....? ....

7. *(die Gabel)* ....? ....

8. *(das Brötchen)* ....? ....

Ü8 ⟩ **Im Restaurant**
Ordnen Sie die Sätze und schreiben Sie den Dialog.

Kellner	Ein Glas Riesling?	☐	**Lisa**	Ja, bitte.	☐
Kellner	Natürlich, bitte sehr. Möchten Sie schon etwas trinken?	☐	**Lisa**	Können wir bitte die Speisekarte haben?	1
Kellner	Die Getränke kommen sofort.	☐	**Lisa**	Und ich hätte gern ein Glas Weißwein.	☐
Max	Ja, ich nehme ein Mineralwasser ohne Sprudel.	☐			

Ü9 > **Zum Wohl!**

Ordnen Sie die Redemittel zu. Einige Redemittel passen nicht.

> ▪ ~~Ich trinke ...~~ ▪ ~~Prost!~~ ▪ Ich hätte gern ... ▪ Ich möchte bitte zahlen.
> ▪ Ich habe .... ▪ Guten Appetit! ▪ Ich möchte bitte ... ▪ Die Rechnung bitte.
> ▪ Ich nehme ... ▪ Ich esse ... ▪ Hallo! ▪ Zum Wohl! ▪ Gute Nacht!
> ▪ Ich brauche ...

etwas bestellen	Wünsche	etwas bezahlen
Ich trinke ...	*Prost!*	

Ü10 > **Im Restaurant**

Ergänzen Sie in dem Gespräch die Nomen.
Kontrollieren Sie Ihre Lösung mit dem Dialog aus Aufgabe 9.

> ▪ Vorspeise *(4 x)* ▪ Getränke ▪ Hauptgericht ▪ Stück ▪ Glück ▪ Appetit *(2 x)* ▪ Fleisch ▪ Dessert *(3 x)*

Lisa: Was nimmst du?

Max: Hm, ich denke, ich nehme als Vorspeise die Tomatensuppe und als .... (1) das Schnitzel mit Kartoffelsalat, als .... (2) esse ich vielleicht ein Stück Apfelkuchen.

Lisa: Ich esse Nudeln mit Hühnerfleisch.

Max: Möchtest du keine .... (3), zum Beispiel eine Gemüsesuppe?

Lisa: Nein, ich nehme nur die Nudeln.

Max: Na gut, dann esse ich auch keine .... (4). Möchtest du auch kein .... (5)?

Lisa: Nein, keine .... (6) und kein .... (7).

Kellner: Ihre .... (8): ein Mineralwasser und ein Glas Weißwein.

Max: Wir hätten gern ein Schnitzel mit Kartoffelsalat, einmal Nudeln mit Hühnerfleisch und später ein .... (9) Apfelkuchen.

Kellner: Sehr gerne.

Kellner: So, einmal das Schnitzel und einmal die Nudeln mit Hühnerfleisch. Guten .... (10)!

Max: Vielen Dank.

Lisa: Guten .... (11)!

Max: Danke, gleichfalls.

Lise: Und wie schmeckt dein Schnitzel?

Max: Das .... (12) ist zu zäh. Der Kartoffelsalat schmeckt auch nicht. Wie findest du die Nudeln?

Lisa: Die Nudeln sind lecker.

Max: Du hast wieder .... (13)!

Lisa: Ja, wie immer.

Ü11 Herr Schmidt isst gern international.
Ergänzen Sie die Adjektive in der richtigen Form.

Das ist Herr Schmidt. Herr Schmidt isst gern international. Er mag

▶ (griechisch)   griechisches   Olivenöl.

1. (deutsch)   ....   Kartoffeln.

2. (italienisch)   ....   Nudeln.

3. (spanisch)   ....   Schinken.

4. (polnisch)   ....   Wurst.

5. (norwegisch)   ....   Fisch.

6. (österreichisch)   ....   Schokoladentorte.

7. (indisch)   ....   Reis.

8. (französisch)   ....   Käse.

Ü12 Essen und Trinken in Deutschland und Österreich
Ergänzen Sie die Verben in der richtigen Form.

- essen (2 x)
- können
- mögen
- trinken

Von Montag bis Freitag essen viele Deutsche mittags in der Kantine. Am liebsten .... (1) sie dort Currywurst oder Pizza.
Die Deutschen .... (2) im Durchschnitt 110 Liter Bier, 140 Liter Mineralwasser und 1 184 Tassen Kaffee im Jahr. In Deutschland .... (3) man 500 verschiedene Sorten Mineralwasser kaufen.
Österreicher .... (4) Kaffee und Tee. Sie trinken im Jahr pro Person 162 Liter Kaffee und 126 Liter Tee. Das berühmte Wiener Schnitzel mit Kartoffelsalat .... (5) man in Österreich gern.

Ü13 Beliebte Speisen und Getränke
Ergänzen Sie die fehlenden Präpositionen.

- für
- mit (2 x)
- in (2 x)
- im

Die Schweiz ist für Käse und Schokolade bekannt. Mittags essen die Schweizer gern einfache, schnelle Gerichte, zum Beispiel Rösti .... (1) Bratwurst.
Zum Frühstück trinkt man .... (2) der Schweiz Milchkaffee.
Die Schweizer trinken im Durchschnitt 57 Liter Bier und 37 Liter Wein .... (3) Jahr.
Abends isst man .... (4) Deutschland und Österreich traditionell Brot .... (5) Käse und Wurst.

Ü14 Berühmte Süßigkeiten: Mozartkugeln
Schreiben Sie Sätze. Achten Sie auf das Verb.

▶ Mozartkugeln ▪ es ▪ seit 1890 ▪ geben
Mozartkugeln gibt es seit 1890.

1. der Erfinder ▪ der Konditor Paul Fürst ▪ sein (Vergangenheit)
....

2. die Kugel ▪ den Namen von Wolfgang Amadeus Mozart ▪ haben
....

3. die Konditorei Fürst ▪ die originalen Mozartkugeln ▪ mit der Hand ▪ produzieren
....

4. man ▪ originale Mozartkugeln ▪ nur ▪ in wenigen Geschäften ▪ in Salzburg ▪ kaufen können
....

Wichtige Wörter und Wendungen

 Wiederholen Sie die Wörter und Wendungen.
Die Redemittel zum Hören und zweisprachige Übersichten finden Sie unter
http://www.schubert-verlag.de/spektrum.a1.dazu.php#K5

Über Essgewohnheiten berichten

- Viele *(Deutsche)* essen mittags *(in der Kantine)*.
- Am liebsten essen sie *(Currywurst)*.
- In *(Österreich)* isst man gern *(Wiener Schnitzel)*.
- Mittags essen *(die Schweizer)* gern einfache, schnelle Gerichte.
- Abends isst man in *(Deutschland)* traditionell *(Brot mit Käse)*.
- Zum Frühstück trinkt man *(in der Schweiz)* *(Milchkaffee)*.
- Die *(Österreicher)* mögen *(Kaffee und Tee)*.
- Die *(Deutschen)* trinken im Durchschnitt *(110 Liter Bier)*.
- In *(Deutschland)* kann man *(verschiedene Sorten Mineralwasser)* kaufen.
- *(Die Schweiz)* ist für *(Schokolade)* bekannt.
- Was mögen Sie?/Was trinken und essen Sie gern?
- Ich mag *(Kaffee)*, trinke gern *(Saft)*, esse am liebsten *(Schokolade)*.

Lebensmittel *(Auswahl)*

- Obst: die Ananas, die Birne, die Banane
- Gemüse: die Gurke, die Zwiebel, das Kraut
- Getreideprodukte: der Reis, die Nudeln *(Pl.)*, das Brot
- Milchprodukte: die Milch, der Quark, der Käse
- Fisch: der Lachs
- Wurst: die Leberwurst, der Schinken
- Fleisch: das Rindfleisch, das Hühnerfleisch
- Fette: die Butter, die Sahne, das Öl
- Backwaren: der Kuchen, die Torte
- Süßwaren: die Schokolade, die Gummibärchen *(Pl.)*

In der Küche

- das Messer, die Gabel, der Löffel, der Teller, die Tasse, der Topf, die Pfanne
- Ich brauche *(ein Messer)*.
  – Tut mir leid, ich habe *(kein Messer)*.

Im Restaurant

etwas bestellen:
- Ich hätte gern *(ein Wiener Schnitzel)*.
- Ich möchte bitte *(die Hühnersuppe)*.
- Ich nehme *(als Vorspeise)* *(den Salat)*.
- Ich esse *(als Hauptgericht)* *(Steak mit Kartoffeln)*.
- Ich trinke *(ein Glas Weißwein)*.

Wünsche:
- Guten Appetit! – Danke, gleichfalls.
- Prost!/Zum Wohl!

etwas bezahlen:
- Ich möchte bitte zahlen/bezahlen.
- Die Rechnung bitte.

nachfragen:
- Wie schmeckt *(das Schnitzel)*?
  – *(Das Schnitzel)* schmeckt sehr gut/ausgezeichnet.
  – *(Es)* schmeckt nicht gut./*(Es)* schmeckt nicht.
- Wie war das Essen? – Danke, gut.

einen Tisch reservieren:
- Ich möchte gern einen Tisch *(für vier Personen)* reservieren.

Über ein Restaurant berichten

- Das Restaurant heißt *(Schnitzelparadies)*.
- Es ist *(dienstags bis sonntags von 12.00 bis 23.00 Uhr)* geöffnet.
- Man kann dort *(leckere Schnitzel)* essen.
- Auf der Speisekarte stehen *(Gerichte mit Schnitzel)*.

Spezialitäten

- *(Mozartkugeln)* sind *(in Österreich)* sehr beliebt.
- *(Mozartkugeln)* gibt es seit *(1890)*.
- Der Erfinder war *(Paul Fürst)*.
- Die Spezialität hat den Namen von *(Wolfgang Amadeus Mozart)*.
- Die Firma *(Fürst)* produziert *(die Mozartkugeln)*.
- Man kann *(originale Mozartkugeln)* nur in *(Salzburg)* kaufen.

Verben im Kontext und Strukturen

 Verben des Kapitels
Lesen Sie die Verben. Üben Sie die Verben am besten mit Beispielsatz.

Verb	Beispielsatz
• anbieten • mitkommen • mögen • produzieren	Einige Restaurants bieten deutsche Gerichte an. Kommst du mit? Österreicher mögen Kaffee und Tee. Ich mag keinen Fisch. Seit 1890 produziert die Konditorei Mozartkugeln.
• reservieren • schmecken • stehen	Ich möchte gern einen Tisch für vier Personen reservieren. Das Essen schmeckt nicht. 282 deutsche Sterne-Restaurants stehen im Guide Michelin.

 Verben mit Besonderheiten

	mögen
ich	**mag**
du	**magst**
er/sie/es	**mag**
wir	mögen
ihr	mögt
sie	mögen
Sie	mögen

 Verben: Höfliche Bitte

Ich **hätte gern** einen Kaffee.

 Nomen: Komposita

die Tomate + <u>der Saft</u> = **der** Tomatensaft	▸ Das letzte Nomen bestimmt den Artikel.

 Nomen mit Adjektiven ohne Artikel: Nominativ und Akkusativ

	Singular			Plural
	maskulin	feminin	neutral	
Nominativ	der Käse französischer Käse	die Salami ungarische Salami	das Brot deutsches Brot	die Gerichte italienische Gerichte
Akkusativ	den Käse französischen Käse	die Salami ungarische Salami	das Brot deutsches Brot	die Gerichte italienische Gerichte

> Negation

kein-	Ich trinke **keinen** Alkohol.	▸ nur vor Nomen
nicht	Ich trinke den Kaffee **nicht**.	▸ zur Negation von Sätzen

> Position von *nicht*

am Satzende	Ich esse den Salat **nicht**.
vor dem Infinitiv	Ich kann heute **nicht** kochen.
vor Adjektiven und Adverbien	Der Salat ist **nicht** lecker. Ich koche **nicht** gern.
vor lokalen Angaben	Wir fahren heute **nicht** nach Köln.

> Präpositionen

seit	Toblerone gibt es **seit** 1908.

> Wendungen mit *sein*

bekannt sein	Die Schweiz **ist** für Käse und Schokolade **bekannt**.
beliebt sein	Gummibärchen **sind** in Deutschland sehr **beliebt**.
geöffnet sein	Das Restaurant **ist** jeden Tag von 12.00 bis 23.00 Uhr **geöffnet**.
gesund sein	Süßwaren **sind** nicht **gesund**.

> Adjektive und Adverbien

sehr gut/ ausgezeichnet	Das Essen schmeckt **sehr gut/ausgezeichnet**.

Kleiner Abschlusstest

Was können Sie schon? Testen Sie sich selbst.

T1 ⟩ **Lebensmittel und Gegenstände in der Küche**
Was mag Petra? Ergänzen Sie die Lebensmittel im Plural.

............/8

Petra mag:

Äpfel ....

Was braucht Petra? Ergänzen Sie.

Petra braucht:

ein Messer ....

T2 ⟩ **Wie heißt der Oberbegriff?**
Ordnen Sie zu. Nicht alle Wörter passen.

............/4

- Fleisch und Wurst
- Süßwaren
- Milchprodukte
- Getreideprodukte
- Obst
- Gemüse
- ~~Getränke~~

▶ Wasser ▪ Kaffee ▪ Bier   Getränke
1. Käse ▪ Quark ▪ Joghurt   ....
2. Gurken ▪ Kraut ▪ Zwiebeln   ....
3. Kuchen ▪ Brötchen ▪ Torte   ....
4. Ananas ▪ Birnen ▪ Bananen   ....

T3 ⟩ **Die Deutschen essen gern Currywurst.**
Schreiben Sie Sätze. Achten Sie auf den Satzbau und das Verb.

............/4

▶ die Deutschen ▪ gern ▪ Currywurst ▪ essen   Die Deutschen essen gern Currywurst.
1. du ▪ mögen ▪ Bananen?   ....
2. wir ▪ ins Restaurant ▪ heute ▪ gehen ▪ nicht   ....
3. mein Mann ▪ kochen ▪ können ▪ nicht   ....
4. Max ▪ das Schnitzel ▪ gut ▪ nicht ▪ schmecken   ....

T4 ⟩ **Im Restaurant**
Ergänzen Sie die Verben. Es gibt mehrere Lösungen.

............/4

▶ Können wir bitte die Speisekarte haben?
1. Ich .... ein Mineralwasser ohne Sprudel.
2. Ich .... als Vorspeise die Tomatensuppe.
3. Ich .... Nudeln mit Hühnerfleisch.
4. .... du keine Vorspeise?

6

Gestern und heute

Über Tätigkeiten in der Vergangenheit berichten
▸ *Peter hat für die Prüfung gelernt.*

Fragen über Aktivitäten in der Vergangenheit formulieren
▸ *Was hast du gestern gemacht? Bist du nach Berlin gefahren?*

Einen Smalltalk im Büro verstehen
▸ *Wie geht es dir? – Überhaupt nicht gut. Ich habe heute Nacht nur drei Stunden geschlafen.*

Einen Text über Universitäten in Deutschland verstehen
▸ *Deutschland hat 240 staatliche Universitäten.*

Räume und Abteilungen einer Universität benennen
▸ *die Verwaltung ▪ das Studentenwohnheim …*

Berichte von Studenten über das Studium verstehen
▸ *Der Anfang war nicht einfach.*

Über die eigene Ausbildung berichten
▸ *Ich habe in Köln studiert/meine Ausbildung in Köln gemacht.*

1 **Wer hat was am Montag gemacht?**
Hören und lesen Sie.

 1 65

Martin hat gefrühstückt.

Peter hat für eine Prüfung gelernt.

Vera hat Gymnastik gemacht.

Konrad ist nach Köln gefahren.

Max ist zum Arzt gegangen.

Der Astronaut ist zum Mond geflogen.

Otto hat einen Bericht gelesen.

Der Chef hat mit Frau Müller gesprochen.

Olaf hat eine E-Mail geschrieben.

2 Strukturen: Perfekt
a Vergleichen Sie.

heute → Präsens

Andreas <u>fährt</u> nach Basel.

gestern → Perfekt

Andreas <u>ist</u> nach Frankfurt <u>gefahren</u>.
Er <u>hat</u> dort mit Kollegen <u>gesprochen</u>.

b Unterstreichen Sie die Verbformen in Aufgabe 1.

c Lesen Sie die Sätze.

Peter	**hat**	für die Prüfung	**gelernt**.
Max	**ist**	zum Arzt	**gegangen**.

Bildung: haben/sein → Partizip II

> **Strukturen**
>
> **Perfekt: Gebrauch**
> - über etwas in der Vergangenheit berichten
> - in der mündlichen Kommunikation
> - in informellen schriftlichen Texten (z. B. E-Mails an Freunde)

d *Haben* oder *sein*? Lesen Sie die Beispielsätze.

haben + Partizip II	*sein* + Partizip II
Vera **hat** Gymnastik **gemacht**. Otto **hat** einen Bericht **gelesen**. Der Chef **hat** mit Frau Müller **gesprochen**.	Max **ist** zum Arzt **gegangen**. Konrad **ist** nach Köln **gefahren**.
▸ bei den meisten Verben	▸ bei einigen Verben (Wechsel von Ort oder Zustand), z. B. *fahren, gehen, fliegen*

e Beachten Sie den Satzbau.

Position 1	Position 2	Mittelfeld	Satzende
Peter	hat	für die Prüfung	gelernt.

f Markieren Sie die Endungen der Partizipien in Aufgabe 1.
Ordnen Sie danach die Sätze nach den Endungen. Wie heißt der Infinitiv?

Das Partizip endet auf *-en*.

Konrad ist <u>gefahren</u>. → fahren

↓

unregelmäßige Verben:
ge- + Verbstamm (oft Vokalwechsel) + *-en*

Das Partizip endet auf *-t*.

Martin hat <u>gefrühstückt</u>. → frühstücken

↓

regelmäßige Verben:
ge- + Verbstamm + *-t*

3 Fragen und Antworten

a Was haben Sie gestern gemacht? Formulieren Sie Fragen und positive Antworten im Perfekt.
Spielen Sie einen Dialog.

▶ *(E-Mails schreiben)*   **A:** Hast du gestern E-Mails geschrieben?
                                  B: Ja, ich habe gestern E-Mails geschrieben.

    (nach Spanien fliegen)   **B:** Bist du gestern nach Spanien geflogen?
                                    A: Ja, ich bin gestern nach Spanien geflogen.

1. *(um 9.00 Uhr frühstücken)*   **A:** .... ?
                                    B: ....

2. *(mit Sabine sprechen)*   **B:** .... ?
                                    A: ....

3. *(die E-Mail vom Chef lesen)*   **B:** .... ?
                                    A: ....

4. *(nach Berlin fahren)*   **A:** .... ?
                                    B: ....

5. *(um 12.00 Uhr Pause machen)*   **B:** .... ?
                                    A: ....

6. *(zur Apotheke gehen)*   **A:** .... ?
                                    B: ....

7. *(einen Bericht schreiben)*   **B:** .... ?
                                    A: ....

b Wie lange hast du ...?
Formulieren Sie Fragen und Antworten im Perfekt. Spielen Sie einen Dialog.

▶ *(Vokabeln lernen? ▪ 2 Stunden)*
  A: Wie lange hast du Vokabeln gelernt?
  B: Ich habe 2 Stunden Vokabeln gelernt.

  (mit Peter sprechen? ▪ 30 Minuten)
  B: Wie lange hast du mit Peter gesprochen?
  A: Ich habe 30 Minuten mit Peter gesprochen.

Strukturen	
▪ **spielen:**	ich habe gespielt
▪ **hören:**	ich habe gehört
▪ **arbeiten:**	ich habe gearbeitet
▪ **schlafen:**	ich habe geschlafen

1. *(Pause machen? ▪ 15 Minuten)*
  A: Wie lange .... ?
  B: ....

2. *(Musik hören? ▪ 1 Stunde)*
  B: .... ?
  A: ....

3. *(E-Mails lesen und schreiben? ▪ 5 Stunden)*
  A: .... ?
  B: ....

4. *(Fußball spielen? ▪ 1½ Stunden)*
  B: .... ?
  A: ....

5. *(arbeiten? ▪ 8 Stunden)*
  A: .... ?
  B: ....

6. *(schlafen? ▪ nur 5 Stunden)*
  B: .... ?
  A: ....

4 Bürogespräche

a Hören Sie den Dialog. Sind die Aussagen richtig oder falsch? Kreuzen Sie an.

	richtig	falsch
▶ Paul hat gut geschlafen.	☐	☒
1. Er hat gestern viel gearbeitet.	☐	☐
2. Paul hat 59 E-Mails gelesen und viel Kaffee getrunken.	☐	☐
3. Erika war gestern nicht im Büro.	☐	☐
4. Abends war Paul im Fitnessstudio und hat einen Krimi gelesen.	☐	☐
5. Paul hat abends eine Currywurst gegessen.	☐	☐
6. Erika mag keine Krimis.	☐	☐

1 🎧 66

b Lesen Sie die folgenden Sätze aus dem Dialog.
Unterstreichen Sie die Verbformen. Wie heißt der Infinitiv?

▶ Ich habe nur drei Stunden geschlafen. ⟶ *schlafen*
1. Hast du gestern viel gearbeitet? ⟶ ....
2. Ich habe zwei Projekte präsentiert. ⟶ ....
3. Ich habe Kaffee gekocht. ⟶ ....
4. Du warst gestern nicht im Büro. ⟶ ....
5. Ich hatte gestern Urlaub. ⟶ ....
6. Wann hast du abends gegessen? ⟶ ....
7. Ich hatte keinen Hunger. ⟶ ....
8. Ich habe einen Krimi gelesen. ⟶ ....
9. Der Krimi war spannend. ⟶ ....

5 Strukturen: *haben* und *sein* in der Vergangenheit

a Lesen Sie die Sätze aus dem Dialog in Aufgabe 4a.

Du **warst** gestern nicht im Büro. Ich **hatte** keinen Hunger.	▶ Bei *haben* und *sein* verwendet man oft das Präteritum.

b Ergänzen Sie *sein* und *haben* im Präteritum. Arbeiten Sie zu zweit.

▶ Wo *warst* du gestern?

sein
1. Ich .... in München.
2. .... Sie schon in Salzburg?
3. Frau Müller .... schon in Salzburg.
4. Wie .... dein Schnitzel?
5. Das Schnitzel .... lecker.
6. .... ihr im Supermarkt?
7. Nein, wir .... im Restaurant.

▶ **Strukturen**

sein (Präteritum)
• ich war • du warst • er/sie war
• wir waren • ihr wart • sie/Sie waren

haben (Präteritum)
• ich hatte • du hattest • er/sie hatte
• wir hatten • ihr hattet • sie/Sie hatten

haben
8. .... du gestern keine Zeit?
9. Nein, ich .... leider keine Zeit.
10. Paul .... gestern eine Besprechung mit Frau Müller.
11. .... ihr gestern eine Teambesprechung?
12. Wir .... gestern keine Mittagspause.

6 **Warum?**

Formulieren Sie Fragen im Perfekt und antworten Sie mit den Redemitteln. Spielen Sie Dialoge.

▶ *(nicht lernen)*

   A: Warum hast du nicht gelernt?

   B: Ich hatte keine Lust.

1. *(dein Schnitzel ▪ nicht essen)* B: Warum hast ....?

                                                             A: Ich hatte ....

2. *(die E-Mails ▪ nicht schreiben)* A: ....?

                                                             B: ....

3. *(den Bericht ▪ nicht lesen)* B: ....?

                                                             A: ....

4. *(nicht nach Köln ▪ fahren)* A: Warum bist du ....?

                                                             B: ....

5. *(keine Gymnastik ▪ machen)* B: ....?

                                                             A: ....

6. *(nicht frühstücken)* A: ....?

                                                             B: ....

7. *(nicht zum Arzt ▪ gehen)* B: ....?

                                                             A: ....

8. *(nicht arbeiten)* B: ....?

                                                             A: ....

7 **Die Tagesabläufe von Martina und Jonas**

a Lesen Sie noch einmal die Tagesabläufe von Martina und Jonas in Kapitel 4, Aufgabe 14.

b Was haben Martina und Jonas gestern gemacht?
  Lesen Sie die Texte.

(1) Martina ist gestern um 7.00 Uhr aufgestanden. Um 7.30 Uhr hat sie gefrühstückt, danach hat sie Gymnastik gemacht. Um 8.00 Uhr ist Martina mit dem Motorroller ins 5 Büro gefahren. Von 8.30 bis 12.00 Uhr hat sie gearbeitet: Sie hat Daten analysiert und viele E-Mails und Berichte geschrieben. Sie hatte eine Teambesprechung. Die Besprechung hat um 11.00 Uhr angefangen. Sie hat eine Stunde 10 gedauert.

Von 12.00 bis 12.30 Uhr hat Martina Mittagspause gemacht. Von 12.30 bis 17.00 Uhr hat Martina wieder gearbeitet. Sie hat Kollegen 15 angerufen. Um 17.00 Uhr ist Martina in die Stadt gefahren. Dort hat sie eingekauft. Danach ist sie mit Freunden in ein Restaurant gegangen.

(2) Jonas ist um 9.00 Uhr aufgestanden. Danach ist er in die Universität gegangen. Dort hat er gefrühstückt. Um 11.00 Uhr hat er ein Seminar 5 besucht. Am Nachmittag hatte er eine Vorlesung. Von 18.00 bis 20.00 Uhr hat Jonas für seine Prüfung gelernt. Danach ist er mit Max 10 und Moritz ausgegangen.

c Lesen Sie die Sätze laut. Arbeiten Sie zu zweit und lesen Sie abwechselnd einen Satz.

8 Strukturen: Partizipien

a Markieren Sie in den Texten in Aufgabe 7b die Partizipien.

b Lesen Sie die Beispielsätze und die Hinweise. Suchen Sie im Text 7b weitere Verben für die verschiedenen Gruppen. Arbeiten Sie zu zweit.

Partizip mit *ge-* am Anfang	Martina **hat** **ge**frühstückt. *Präsens:* Sie frühstückt.	▸ Verben ohne Präfix
Partizip mit *-ge-* nach dem Präfix	Martina **ist** **auf**gestanden. *Präsens:* Sie steht auf.	▸ Verben mit Präfix (trennbar)
Partizip ohne *ge-*	Jonas **hat** ein Seminar **besucht**. *Präsens:* Er besucht ein Seminar.	▸ Verben mit Präfix (nicht trennbar) und Verben auf *-ieren*

c Schreiben Sie die Sätze im Perfekt. Arbeiten Sie zu zweit.

▶ Martina steht um 7.00 Uhr auf. → Martina ist um 7.00 Uhr aufgestanden.

1. Sie frühstückt um 7.30 Uhr. → Sie hat ....
2. Danach macht sie Gymnastik. → ....
3. Um 8.00 Uhr fährt Martina ins Büro. → ....
4. Von 8.30 bis 12.00 Uhr arbeitet sie. → ....
5. Sie analysiert Daten. → ....
6. Sie schreibt viele E-Mails und Berichte. → ....
7. Die Teambesprechung fängt um 11.00 Uhr an. → ....
8. Die Besprechung dauert eine Stunde. → ....
9. Martina ruft Kollegen an. → ....
10. Sie kauft in der Stadt ein. → ....
11. Danach geht sie mit Freunden in ein Restaurant. → ....
12. Jonas besucht ein Seminar. → ....
13. Er geht mit Max und Moritz aus. → ....

9 Wann bist du aufgestanden?

Formulieren Sie Fragen im Perfekt und antworten Sie. Spielen Sie Dialoge.

▶ (aufstehen)
A: Wann bist du aufgestanden?
B: Ich bin um 8.00 Uhr aufgestanden.

1. (frühstücken)
B: Wann hast .... ?
A: Ich habe ....

2. (ins Büro/in die Uni fahren)
A: .... ?
B: ....

3. (Mittagspause machen)
B: .... ?
A: ....

4. (im Supermarkt einkaufen)
A: .... ?
B: ....

5. (deutsche Vokabeln lernen)
B: .... ?
A: ....

6. (deine Freunde besuchen)
A: .... ?
B: ....

10 Interview: Letzte Woche

a Fragen Sie drei Teilnehmer und notieren Sie die Antworten.

> Was hast du/haben Sie letzte Woche gemacht?

- einen Krimi/Bücher/ Berichte/E-Mails **lesen**
- viele Berichte/E-Mails **schreiben**
- (nicht) viel **arbeiten**
- (nicht) viel **schlafen**
- Vokabeln/für die Prüfung **lernen**

- im Supermarkt/in der Stadt **einkaufen**
- meine Mutter/meine Freundin/meinen Freund/ Kollegen **anrufen**
- Seminare/ein Konzert/ Freunde **besuchen**
- ins Fitnessstudio/in die Stadt/ins Kino **gehen**

- nach Berlin/Köln/Ham- burg **fahren**
- viel Kaffee/Wasser/Bier **trinken**
- Gymnastik/Sport **machen**
- (oft) Schnitzel/Pommes/ Schokolade **essen**
- Rechnungen **bezahlen**

- ein Auto **konstruieren**
- Daten **analysieren**
- abends **ausgehen**
- Bilder **malen**
- mit Kollegen/mit Freun- den Deutsch **sprechen**
- einen Vortrag **halten**
- Essen **kochen**

- Musik **hören**
- Tennis/Fußball/Gitarre/ Computerspiele **spielen**
- ein Projekt/eine Idee **präsentieren**
- auf Deutsch/auf Englisch **telefonieren**

▶ **Redemittel**

- gestern
- vorgestern
- letzte Woche
- einmal, zweimal, dreimal ...
- oft
- jeden Tag

b Berichten Sie.

> Martina hat ein Konzert besucht.
> Marcus ist zweimal ins Fitnessstudio gegangen.
> Marcus und Andreas haben viele E-Mails geschrieben.

11 Phonetik

a Hören Sie und lesen Sie laut.

 ▷ **Der Wortakzent beim Partizip II**

viele Verben	**Der Akzent ist auf der Stammsilbe.** ▪ gelernt ▪ gemacht ▪ gegangen ▪ geschrieben ▪ gefrühstückt ▪ gefahren ▪ gespielt ▪ gehört ▪ gegessen ▪ getrunken ▪ begonnen ▪ bezahlt ▪ besucht ▪ entwickelt ▪ übernachtet
trennbare Verben mit Präfix	**Der Akzent ist auf dem Präfix.** ▪ aufgestanden ▪ eingekauft ▪ ferngesehen ▪ angefangen ▪ angerufen ▪ ausgegangen
Verben auf *-ieren*	**Der Akzent ist auf *-ie-*.** ▪ studiert ▪ telefoniert ▪ analysiert ▪ konstruiert ▪ präsentiert

b Lesen Sie die Sätze laut und markieren Sie den Wortakzent der Partizipien.

> ▷ Wir haben die Rechnung bezahlt.
1. Marie hat Gymnastik gemacht.
2. Frau Müller hat Kollegen angerufen.
3. Jonas ist um 9.00 Uhr aufgestanden.
4. Petra hat Daten analysiert.
5. Die Chefin hat auf Englisch telefoniert.
6. Habt ihr Musik gehört?
7. Otto hat seine Projektidee präsentiert.
8. Die Kinder haben Pommes gegessen.
9. Max ist ausgegangen.
10. Frau Müller hat viele E-Mails geschrieben.
11. Andreas hat Freunde besucht.

12 Was haben Sie letzte Woche gemacht?
Schreiben Sie eine E-Mail an eine Freundin/einen Freund. Nennen Sie mindestens acht Tätigkeiten.

Neue Nachricht   _ ↗ ✕

Von:

An:

Betreff:

Lieber …/Liebe …,

wie geht es dir? Ich wohne jetzt in Hamburg. Es ist schön hier! Heute habe ich frei und ich kann eine kurze Mail schreiben – auf Deutsch! Ich habe eine neue Arbeit und nur noch wenig freie Zeit. Letzte Woche habe ....

....

....

....

....

....

....

....

....

Was machst du so?

Liebe Grüße

....

Hamburg: Elbphilharmonie

13 Studieren in Deutschland
a Lesen Sie den Text.

Heidelberg: Universität

■ Universitäten und Hochschulen

Deutschland hat über 300 staatliche und ca. 100 private Universitäten und Hochschulen. Es gibt in Deutschland Universitäten und Technische Universitäten bzw. Technische Hochschulen, Kunst-, Film- und Musikhochschulen und
5 Fachhochschulen. Einige Universitäten haben eine lange Tradition. Die Universitäten in Erfurt, Heidelberg, Köln, Würzburg und Leipzig sind über 600 Jahre alt. Insgesamt gibt es etwa 18 000 Studiengänge. Deutsche Universitäten und Hochschulen bieten die internationalen Abschlüsse Ba-
10 chelor und Master an. Von den ca. 2,8 Millionen Studenten sind über 300 000 aus dem Ausland.

b Ergänzen Sie die Informationen aus dem Text.

In Deutschland gibt es:

ca. 300   ....

etwa 100   ....

ca. 18 000   ....

über 300 000   ....

14 An der Universität

a Ordnen Sie zu. Arbeiten Sie zu zweit.

▷	die Mensa	Hier kann man essen.
1.	....	Hier kann man Bücher und Zeitschriften ausleihen.
2.	....	Hier kann man Bücher in Ruhe lesen.
3.	....	Hier kann man Vorlesungen von Professoren hören.
4.	....	Hier kann man Seminare besuchen.
5.	....	Hier kann man Informationen bekommen.
6.	....	Hier kann man einen Kaffee trinken oder einen Snack essen.
7.	....	Hier kann man Fremdsprachen lernen.
8.	....	Hier können Studenten wohnen.

- ~~die Mensa~~
- die Bibliothek
- das Studentenwohnheim
- der Hörsaal
- das Sekretariat
- das Sprachenzentrum
- die Cafeteria
- der Lesesaal
- der Seminarraum

b Bauen Sie ein Wörternetz. Verwenden Sie auch die Wörter aus Aufgabe a).
  Arbeiten Sie in Gruppen.

die Studentin/der Student

Menschen

Informationen

Essen und Trinken

Universität

Bibliothek

Unterrichtsräume und Unterricht

die Vorlesung

der Hörsaal

- ~~die Vorlesung~~
- das Seminar
- die Dozentin/der Dozent
- die Professorin/der Professor
- der Sprachunterricht
- Bücher und Zeitschriften ausleihen
- am Computer recherchieren
- ~~die Studentin/der Student~~
- Bücher lesen

c Lesen Sie die Hinweisschilder. Ist die Aussage richtig oder falsch? Kreuzen Sie an.

① Hinweis im Sekretariat

> Anmeldung für Sprachkurse
> im Sprachenzentrum
> Gebäude 5, Raum 306

Für einen Sprachkurs melden Sie
sich im Sprachenzentrum an.

richtig ☐ ☐ falsch

② Hinweis im Lesesaal der Bibliothek

> Bitte Ruhe!
> Bitte nicht essen, trinken
> oder sprechen!

Sie können im Lesesaal in Ruhe
eine Tasse Kaffee trinken.

richtig ☐ ☐ falsch

③ Hinweis in der Verwaltung

> Sprechzeiten Studentensekre-
> tariat: montags bis freitags
> 10.00–12.00 Uhr

Das Studentensekretariat ist an
Arbeitstagen vormittags geöffnet.

richtig ☐ ☐ falsch

15 Aus dem Leben von Studenten

a Jürgen, Thomas und Elvira haben die Schule beendet. Sie möchten gern studieren. Lesen Sie die Wünsche vor dem Studium und ergänzen Sie die Verben. Arbeiten Sie zu zweit.

- sprechen
- ~~finden~~
- diskutieren
- haben
- lesen
- gehen
- lernen

Jürgen, Thomas und Elvira möchten im Studium:

▶ neue Freunde *finden*

1. Spaß beim Lernen ....
2. mit Dozenten und Professoren persönlich ....
3. viel ....
4. mit anderen Studenten ....
5. gute Bücher ....
6. auf Partys ....

b Lesen und hören Sie die Berichte von Jürgen, Thomas und Elvira nach dem ersten Studienjahr.

 1

Jürgen studiert Medienwissenschaft an der Universität in Jena:

Die Zimmersuche war Wahnsinn! Die Suche hat acht Wochen gedauert. Dann habe ich ein Zimmer gefunden. In der ersten Woche hatten wir viele Partys. Ich habe auch neue Freunde gefunden. Aber wir lernen nicht gemeinsam. Viele Studenten lernen zu Hause oder in der Bibliothek.

Das Studium ist nicht so interessant. Manchmal sind die Diskussionen zu abstrakt. Das finde ich nicht so gut. Einige Bücher sind sehr langweilig. Vielleicht höre ich wieder auf und suche ein neues Studienfach.

Thomas studiert Bioingenieurwesen an der Universität Dortmund:

Der Anfang war nicht einfach. Wir sind 600 Studenten für das Fach Bioingenieurwesen. Nun habe ich ein Jahr studiert und der Kontakt zu den Professoren ist gut. Ich habe alle Vorlesungen besucht und ich war oft in der Bibliothek. Für die Mathematikprüfung habe ich viel gelernt und ich habe eine gute Note bekommen.

Ich wohne im Zentrum von Dortmund mit anderen Studenten zusammen. Es gibt viele Partys, das mag ich. Auch das Essen in der Mensa schmeckt gut. Ich mache weiter, ich möchte das Studium abschließen.

Elvira studiert Kommunikation und Medien an einer privaten Hochschule in Köln:

Ich studiere an einer privaten Hochschule. Für mein Studium bezahle ich 8 000 Euro Studiengebühren im Jahr. Das ist viel Geld. Aber es gibt nicht so viele Studenten, das ist positiv. Wir können mit den Dozenten und Professoren persönlich sprechen. Alle Geräte und Möbel sind neu.

Das Studium ist interessant. Wir lernen viel, schreiben Texte und machen kleine Filme. Wir haben viele praktische Projekte, die mag ich sehr. Die Vorlesungen finde ich manchmal ein bisschen langweilig. Ich möchte mein Studium abschließen und später beim Fernsehen arbeiten.

c Lesen Sie die Texte laut.

d Sind die Aussagen richtig oder falsch? Kreuzen Sie an.

	richtig	falsch
▶ Jürgen lernt gemeinsam mit seinen Freunden.		☒
1. Er mag sein Studium nicht.		
2. Viele Studenten studieren Bioingenieurwesen.		
3. Thomas lernt viel und feiert gern Partys.		
4. Er möchte etwas anderes studieren.		
5. Elvira findet den Kontakt zu den Dozenten und Professoren gut.		
6. Sie möchte mehr praktische Aufgaben machen.		

16 Tätigkeiten

a Was passt? Ordnen Sie zu.

▶	ein Zimmer	☐	☐	a)	lernen
1.	mit anderen Studenten zusammen	☐	☐	b)	finden
2.	neue Freunde	☐	☐	c)	suchen
3.	für eine Prüfung	☐	☐	d)	bekommen
4.	eine gute Note	☐	☐	e)	bezahlen
5.	mit Professoren persönlich	☐	☐	f)	wohnen
6.	Vorlesungen	☐	☐	g)	besuchen
7.	Studiengebühren	☐	☐	h)	abschließen
8.	Texte	☐	☐	i)	arbeiten
9.	Filme	☐	☐	j)	sprechen
10.	das Studium	☐	☐	k)	schreiben
11.	beim Fernsehen	☐	☐	l)	machen

b Schreiben Sie Sätze im Perfekt mit den Wendungen aus a).

▶ *Jürgen hat ein Zimmer gesucht.*

1. ....
2. ....
3. ....
4. ....
5. ....
6. ....

7. ....
8. ....
9. ....
10. ....
11. ....

> **Strukturen**
>
> ▪ **abschließen:** ich habe abgeschlossen

17 Phonetik

a Hören Sie und lesen Sie laut.

1 ⟨69⟩ ▷ ***st als [ʃt] oder [st]***

st [ʃt]	st [st]
▪ Student ▪ Studium ▪ Studiengebühren ▪ studieren ▪ Hauptstadt ▪ Statistik ▪ Stunde	▪ Kunst ▪ Master ▪ Gymnastik ▪ Was machst du heute? Kommst du mit?
▷ -st- am Wortanfang (auch in Komposita)	▷ -st- in der Wortmitte und am Wortende

b Hören und schreiben Sie.

 Ich studiere in Köln. ...

18 Strukturen: Die Konjunktion *und*

a Lesen Sie die Sätze.

Alle <u>Geräte</u> und <u>Möbel</u> sind neu.	▸ *und* verbindet Wörter und Wortgruppen
a) **Ich** <u>suche</u> ein neues Studienfach **und** **du** <u>studierst</u> weiter in Dortmund. ▸ *ich + du* ➔ verschiedene Subjekte	

b) **Ich** <u>höre</u> vielleicht wieder <u>auf</u> **und** **ich** <u>suche</u> ein neues Studienfach.
  ▸ *ich + ich* ➔ identische Subjekte
 	
Ich <u>höre</u> vielleicht wieder <u>auf</u> **und** <u>suche</u> ein neues Studienfach.
  ▸ *ich* ➔ ein Subjekt (Kurzform)
	▸ *und* verbindet Sätze

b Schreiben Sie Sätze mit *und*. Achten Sie auf den Satzbau und die Verbform.

▸ *ich ▪ gern ▪ lesen + spielen ▪ Gitarre ▪ Andreas ▪ gern*

Ich lese gern und Andreas spielt gern Gitarre.

1. *lernen ▪ Thomas ▪ viel + er ▪ alle Vorlesungen ▪ besuchen*

   ....

2. *Elvira ▪ ihr Studium ▪ abschließen ▪ möchte- + Paul ▪ ein anderes Studienfach ▪ suchen*

   ....

3. *André ▪ abends ▪ auf Partys ▪ gern ▪ gehen + schlafen ▪ morgens ▪ lange ▪ er*

   ....

4. *Eva ▪ mit anderen Studenten ▪ zusammen ▪ wohnen + gern ▪ sie ▪ kochen ▪ für alle*

   ....

19 Meine Ausbildung

Berichten Sie über Ihre Ausbildung.

▪ Ich habe in *(Prag)* *(Biologie)* studiert./Ich bin *(Köchin)* und habe meine Ausbildung in *(Paris)* gemacht. ▪ Mein Studium/Meine Ausbildung war toll/ schwierig/interessant/sehr praktisch/sehr theoretisch … ▪ Wir waren *(60)* Studenten im Studienjahr/ *(15)* Lehrlinge im Lehrjahr. ▪ Der Anfang war *(nicht so)* schwer. ▪ Ich habe viele/nicht so viele Bücher gelesen. Einige Bücher waren langweilig/interessant/ kompliziert/zu theoretisch …	▪ Wir hatten viele/nur wenige Vorlesungen/Se- minare/praktische Projekte. ▪ Ich habe auch ein Praktikum bei *(BMW)* ge- macht. ▪ Ich war oft in der Bibliothek. ▪ Wir haben oft/nie mit Lehrern/Dozenten/Pro- fessoren diskutiert. ▪ Ich habe viel/nicht so viel gelernt. ▪ Ich hatte gute/nicht so gute Noten. ▪ Wir hatten viele/tolle/keine Partys. ▪ Ich habe *(keine/2 000 Euro)* Studiengebühren bezahlt.

Übungen zur Vertiefung und zum Selbststudium

Ü1 ❯ *Haben oder sein?*
Ergänzen Sie. Achten Sie auf die Konjugation.

▶ Ich *habe* gestern eine leckere Suppe gekocht.

1. Meine Schwester .... am Freitagabend ins Kino gegangen.
2. Ich .... Max am Sonntag angerufen.
3. Wir .... unsere Oma besucht.
4. .... ihr den Film über Leonardo da Vinci gesehen?
5. Meine Freunde .... nach Berlin gefahren.
6. .... du mit Carla über das Projekt gesprochen?
7. .... Sie auch in der Kantine gegessen?
8. .... ihr nach Wien geflogen?

Ü2 ❯ **Eva, Max und ich**
Schreiben Sie Sätze im Perfekt.

a Regelmäßige Verben

▶ eine Reise machen — Ich habe eine Reise gemacht.

1. in Köln wohnen	Ich habe..	
2. eine Suppe kochen	Ich..	
3. Fußball spielen	....	Partizip: *ge-* + *-t*
4. Deutsch lernen	....	
5. arbeiten	....	
6. Vorlesungen besuchen	....	Partizip: + *-t*
7. Rechnungen bezahlen	....	
8. in der Stadt einkaufen	....	Partizip: *-ge-* + *-t*

b Verben auf *-ieren*

1. mit Kollegen telefonieren	Max..	
2. ein Dokument kopieren	....	
3. Informatik studieren	....	Partizip: + *-t*
4. eine Projektidee präsentieren	....	
5. Fragen formulieren	....	

c Unregelmäßige Verben

1. ins Café gehen	Eva...	
2. einen Tee trinken	....	
3. nicht viel schlafen	....	
4. nach Bonn fahren	....	
5. im Büro Zeitung lesen	....	Partizip: *ge-* + *-en*
6. zehn E-Mails schreiben	....	
7. viel Deutsch sprechen	....	
8. eine Pizza essen	....	
9. früh aufstehen	....	
10. fernsehen	....	Partizip: *-ge-* + *-en*
11. mit Moritz ausgehen	....	
12. eine gute Note bekommen	....	Partizip: + *-en*

Ü3 〉 **Heute und gestern**
Ergänzen Sie die Sätze.

heute   gestern

▶ Ich stehe um 7 Uhr auf.   *Ich bin um 7 Uhr aufgestanden.*

1. Danach mache ich Gymnastik.   ....

2. Ich frühstücke um halb acht.   ....

3. ....   Ich bin um 7.45 Uhr mit dem Motorroller ins
    ....   Büro gefahren.

4. Um halb neun habe ich eine Besprechung.   ....

5. ....   Danach habe ich im Büro gearbeitet.

6. Ich mache um 12 Uhr eine Pause.   ....

7. Ich gehe in die Kantine und esse etwas.   ....

8. ....   Am Nachmittag habe ich bis 17 Uhr gearbeitet.

Ü4 〉 **Hast du Oma besucht?**
Trennbare und nicht trennbare Verben. Ergänzen Sie die Verben in der richtigen Form.

- besuchen
- anrufen
- einkaufen
- aufstehen
- fernsehen
- bezahlen
- unterrichten
- untersuchen
- anfangen
- übernachten

▶ Hast du Oma besucht? – Ja, gestern.

1. Ich habe gestern Abend .... – Ja? Hast du etwas Interessan-
    tes gesehen?

2. Hast du das Essen schon ....? – Noch nicht. Der Kellner ist
    noch nicht gekommen.

3. Das ist meine alte Lehrerin, Frau Meier. Sie hat früher Englisch
    .... Heute arbeitet sie nicht mehr.

4. Das ist Dr. Klein. Er hat gestern viele Patienten ....

5. Ich war zehn Minuten zu spät. Der Film hat schon ....

6. Wann bist du heute ....? – Ach, nicht so früh. Um halb zehn.

7. Hast du Martina ....? – Nein, tut mir leid, das mache ich
    später.

8. Hast du für das Wochenende ....? – Ja, ich habe Fleisch,
    Gemüse und Obst gekauft.

9. Wo hast du in Frankfurt ....? – Im Hotel Europa.

Ü5 Tut mir leid …
Formulieren Sie die Fragen im Perfekt und die Antworten im Präteritum wie im Beispiel.

▶ *nicht zur Party kommen* ▪ *keine Lust haben*
Warum bist du nicht zur Party gekommen?   – Tut mir leid, ich hatte keine Lust.

1. *die E-Mails nicht schreiben* ▪ *keine Zeit haben*
Warum ....? – Tut mir leid, ich ....

2. *Eva nicht besuchen* ▪ *kein Auto haben*
Warum ....? – Tut mir leid, ...

3. *kein Obst kaufen* ▪ *nicht im Supermarkt sein*
Warum ....? – Tut mir leid, ...

4. *die Rechnung nicht bezahlen* ▪ *kein Geld haben*
Warum ....? – Tut mir leid, ...

5. *Frau Müller nicht anrufen* ▪ *nicht im Büro sein*
Warum ....? – Tut mir leid, ...

6. *nicht ins Fitnessstudio gehen* ▪ *zu müde sein*
Warum ....? – Tut mir leid, ...

7. *den Krimi zu Ende lesen* ▪ *der Krimi – langweilig sein*
Warum ....? – Tut mir leid, ...

Ü6 Eine E-Mail von Mathias
Lesen Sie die E-Mail. Richtig oder falsch? Kreuzen Sie an.

Neue Nachricht   _ ⤢ ✕

Von: mathias.schmidt@gmx.de
An: frank.zeller@gmail.de
Betreff: Grüße von Mathias

Hallo Frank,

hattest du ein schönes Wochenende?
Ich war wieder bei meiner Freundin in Hamburg. Ich mag diese Stadt!
Aber mein Wochenende hat nicht so gut angefangen: Mein Auto war kaputt.
Ich bin mit dem Auto von Martin gefahren. Am Freitagabend sind wir ins
Kino gegangen und haben einen schlechten Film gesehen. Dann haben
wir in einem griechischen Restaurant gegessen und Wein getrunken. Das
Essen war ausgezeichnet, alles hat sehr gut geschmeckt. Am Samstag und
Sonntag haben wir lange geschlafen, waren in der Stadt und haben über
das Studium und die Arbeit gesprochen.
Ich rufe heute Abend mal an, okay?

Ciao
Mathias

	richtig	falsch
1. Mathias war am Wochenende in Hamburg.	☐	☐
2. Mathias ist mit seinem Auto gefahren.	☐	☐
3. Der Film am Abend war gut.	☐	☐
4. Das Essen im Restaurant war lecker.	☐	☐
5. Mathias und seine Freundin sind am Wochenende früh aufgestanden.	☐	☐
6. Sie haben viel gearbeitet.	☐	☐

Ü7 〉 Ich habe Kommunikationswissenschaften studiert.
Formen Sie die Sätze um. Achten Sie auf die Zeitform.

> ▶ Ich studiere an einer privaten Hochschule. *(Perfekt)*
> *Ich habe an einer privaten Hochschule studiert.*

1. Für mein Studium bezahle ich 8 000 Euro Studiengebühren im Jahr. *(Perfekt)*
   ....

2. Das ist viel Geld. *(Präteritum)*
   ....

3. Wir sind zehn Studenten in der Studiengruppe. *(Präteritum)*
   ....

4. Wir sprechen mit den Dozenten und Professoren immer persönlich. *(Perfekt)*
   ....

5. Alle Geräte und Möbel sind neu. *(Präteritum)*
   ....

6. Das Studium ist interessant. *(Präteritum)*
   ....

7. Wir lernen viel und schreiben viele Texte. *(Perfekt)*
   ....

8. Wir machen auch kleine Filme. *(Perfekt)*
   ....

9. Wir haben viele praktische Projekte. *(Präteritum)*
   ....

Ü8 〉 Rätsel: An der Universität
Wie heißt das Lösungswort? Ergänzen Sie die Wörter mit großen Buchstaben.

> ▶ An einer Universität arbeiten viele **P R O F E S S O R E N** .

1. Im **S** ___ ___ **I A T** bekommt man Informationen.
2. Wenige Studen-ten zahlen **S** ___ ___ ___ **R E N** .
3. Es gibt 600 Studenten für das **S T** ___ ___ **C H** Bioingenieurwesen.
4. In Deutschland gibt es Universitäten und ___ **O** ___ ___ ___ ___ ___ .
5. Viele Studenten essen in der ___ ___ ___ **S A** .
6. Studenten besuchen ___ ___ ___ ___ **E N** und Seminare.

Ü9 〉 So war das Studium.
Schreiben Sie kurze Sätze im Präteritum. Manchmal gibt es mehrere Möglichkeiten.

- nicht so interessant
- lecker
- zu abstrakt
- langweilig
- toll
- unpersönlich
- neu
- Wahnsinn!
- ~~schrecklich~~

> ▶ Der Anfang war *schrecklich.*
1. Die Zimmersuche ....
2. Die Partys ....
3. Das Studium ....
4. Die Diskussionen ....
5. Die Bücher ....
6. Der Kontakt mit den Professoren ....
7. Das Essen in der Mensa ....
8. Die technischen Geräte ....

Wichtige Wörter und Wendungen

 Wiederholen Sie die Wörter und Wendungen.
Die Redemittel zum Hören und zweisprachige Übersichten finden Sie unter
http://www.schubert-verlag.de/spektrum.a1.dazu.php#K6

Tagesablauf, alltägliche Aktivitäten

Über die Vergangenheit berichten
- Martina ist um *(7.00 Uhr)* aufgestanden.
- Um *(7.30 Uhr)* hat sie gefrühstückt.
- Danach hat sie Gymnastik gemacht.
- Um *(8.00 Uhr)* ist Martina ins Büro gefahren.
- Dort hat sie gearbeitet, Daten analysiert, viele E-Mails und Berichte geschrieben, Kollegen angerufen.
- Sie hatte eine Besprechung.
- Die Besprechung hat um *(11.00 Uhr)* angefangen und eine Stunde gedauert.
- Danach hat sie eingekauft.
- Jonas ist in die Universität gegangen.
- Er hat Vorlesungen und Seminare besucht.
- Abends hat er für die Prüfung gelernt.
- Danach ist er ausgegangen.
- Paul hat Kaffee gekocht, einen Krimi gelesen, nicht viel geschlafen, zwei Projekte präsentiert, eine Currywurst gegessen.
- Ich habe ein Bild gemalt, mit Kollegen gesprochen, viel Kaffee getrunken, Musik gehört, auf Englisch telefoniert, abends ferngesehen, einen Film gesehen.

Über die eigene Ausbildung berichten

- Ich habe in *(Jena)* *(Medienwissenschaften)* studiert.
- Ich bin *(Koch)* und habe meine Ausbildung in *(Berlin)* gemacht.
- Mein Studium/Meine Ausbildung war schwierig/ interessant/sehr praktisch/sehr theoretisch.
- Wir waren *(60)* Studenten im Studienjahr/ *(15)* Lehrlinge im Lehrjahr.
- Der Anfang war *(nicht so)* schwer.
- Ich habe viele/nicht so viele Bücher gelesen.
- Wir hatten viele/nicht so viele/nur wenige Vorlesungen/Seminare/praktische Projekte.
- Ich habe ein Praktikum bei *(BMW)* gemacht.
- Ich war oft/nicht so oft in der Bibliothek.
- Wir haben oft/nicht so oft/nie mit Lehrern/Dozenten/Professoren diskutiert.
- Ich habe viel/nicht so viel gelernt.
- Ich hatte gute/nicht so gute Noten.
- Ich habe *(keine/2 000 Euro)* Studiengebühren bezahlt.

Universitäten und Hochschulen

- Es gibt staatliche und private Universitäten.
- Einige Universitäten haben eine lange Tradition.
- Insgesamt gibt es 18 000 Studiengänge.
- Die Universitäten bieten internationale Abschlüsse an.
- ein Studium beginnen und abschließen
- ein neues Studienfach suchen
- in der Bibliothek Bücher ausleihen
- in der Mensa essen
- in der Verwaltung etwas bezahlen
- im Studentenwohnheim wohnen
- im Sekretariat Informationen bekommen
- im Sprachenzentrum Deutsch lernen

Verben im Kontext und Strukturen

> ## Verben des Kapitels
> Lesen Sie die Verben. Üben Sie die Verben am besten mit Beispielsatz.

Verb	Beispielsatz	Zeitform
• abschließen	Ich schließe mein Studium ab. Ich habe mein Studium abgeschlossen.	Präsens Perfekt
• aufhören	Bettina hört mit dem Studium auf. Bettina hat mit dem Studium aufgehört.	Präsens Perfekt
• ausleihen	In der Bibliothek leihen die Studenten Bücher aus. In der Bibliothek haben die Studenten Bücher ausgeliehen.	Präsens Perfekt
• beenden	Elvira beendet die Schule. Elvira hat die Schule beendet.	Präsens Perfekt
• bekommen	Thomas bekommt eine gute Note. Thomas hat eine gute Note bekommen.	Präsens Perfekt
• diskutieren	Wir diskutieren oft mit Lehrern. Wir haben oft mit Lehrern diskutiert.	Präsens Perfekt
• fliegen	Der Astronaut fliegt zum Mond. Der Astronaut ist zum Mond geflogen.	Präsens Perfekt
• halten	Martin hält an der Universität einen Vortrag. Martin hat an der Universität einen Vortrag gehalten.	Präsens Perfekt
• kopieren	Max kopiert ein Dokument. Max hat ein Dokument kopiert.	Präsens Perfekt
• suchen	Viele Studenten suchen Zimmer. Viele Studenten haben Zimmer gesucht.	Präsens Perfekt
• weitermachen	Ich mache weiter. Ich habe weitergemacht.	Präsens Perfekt

> ## Perfekt

regelmäßige Verben			hören	er hat gehört
	Verben auf -d/-t		landen	er ist gelandet
	Verben auf -ieren		studieren	er hat studiert
	Verben mit Präfix	trennbar	einkaufen	er hat eingekauft
		nicht trennbar	besuchen	er hat besucht

unregelmäßige Verben			trinken fahren	er hat getrunken er ist gefahren
	Verben mit Präfix	trennbar	ausgehen	er ist ausgegangen
		nicht trennbar	bekommen	er hat bekommen

⟩ Perfekt: Unregelmäßige Verben im Kapitel

abschließen:	er hat abgeschlossen	fliegen:	er ist geflogen
anfangen:	er hat angefangen	halten:	er hat gehalten
anrufen:	er hat angerufen	gehen:	er ist gegangen
ausgehen:	er ist ausgegangen	lesen:	er hat gelesen
ausleihen:	er hat ausgeliehen	schlafen:	er hat geschlafen
bekommen:	er hat bekommen	schreiben:	er hat geschrieben
essen:	er hat gegessen	sehen:	er hat gesehen
fahren:	er ist gefahren	sprechen:	er hat gesprochen
fernsehen:	er hat ferngesehen	trinken:	er hat getrunken

⟩ Perfekt: *haben* oder *sein*

haben + Partizip II	*sein* + Partizip II
Ich habe für die Prüfung gelernt. Otto hat einen Bericht gelesen.	Max ist zum Arzt gegangen. Ich bin um 8.00 aufgestanden.
▸ bei den meisten Verben	▸ bei einigen Verben (Wechsel von Ort oder Zustand), z. B.: *fahren, gehen, ausgehen, fliegen, aufstehen*

⟩ Perfekt: Satzbau

Position 1	Position 2	Mittelfeld	Satzende
Ich	habe	für die Prüfung	gelernt.

⟩ Präteritum von *haben* und *sein*

	haben	sein	
ich	hatte	war	
du	hattest	warst	Ich hatte keinen Hunger. Du warst gestern nicht im Büro.
er/sie/es	hatte	war	
wir	hatten	waren	→ Bei Sätzen mit *haben* und *sein* in der Vergangenheit verwendet man oft das Präteritum.
ihr	hattet	wart	
sie	hatten	waren	
Sie	hatten	waren	

⟩ Satzverbindungen: Konjunktion *und*

Ich suche ein neues Studienfach **und** **du** studierst weiter in Dortmund.
▸ *ich + du* → verschiedene Subjekte

Ich höre vielleicht wieder auf **und** **ich** suche ein neues Studienfach.
▸ *ich + ich* → identische Subjekte

Ich höre vielleicht wieder auf **und** suche ein neues Studienfach.
▸ *ich* → *ein Subjekt* (Kurzform)

⟩ Zahlwörter

einmal, zweimal ...	Ich habe **zweimal** Gymnastik gemacht.

Kleiner Abschlusstest

Was können Sie schon? Testen Sie sich selbst.

T1 > **Was hat Adam gestern gemacht?**
Schreiben Sie Sätze im Perfekt.

.........../7

(aufstehen)

Adam ist um 7.00 Uhr aufgestanden.

(in den Park)

....

(ein Brötchen)

....

(Bericht)

....

(Kaffee)

....
....

(mit Lisa)

....
....

(für eine Prüfung)

....
....

(gut)

....
....

T2 > **Eine E-Mail von André**
Ergänzen Sie die Verben in der richtigen Form.

.........../9

> **Grüße von André**
>
> Hallo Susanne,
>
> wie **war** (sein) dein Wochenende? Mein Wochenende .... (sein)
> prima. Ich habe Franz in München .... (besuchen). Wir
> haben am Samstag drei Stunden Fußball .... (spielen)
> und .... (haben) großen Spaß. Am Abend haben wir
> .... (fernsehen). Am Sonntag haben wir lange
> .... (schlafen) und mittags haben wir in einem spani-
> schen Restaurant .... (essen). Nachmittags sind wir
> ins Kino .... (gehen) und haben Terminator 10
> .... (sehen). Ich rufe morgen mal an.
>
> Liebe Grüße
> André

T3 > **Schreiben Sie Sätze mit und.**
Achten Sie auf die Verben und den Satzbau.

.........../4

1. ich ▪ viel lernen + gute Noten ▪ haben ▪ ich

   ....

2. Paul ▪ in die Bibliothek ▪ gehen + Paula ▪ eine Vorlesung ▪ besuchen

   ....

Lösungen

Kapitel 1

Hauptteil

5   **b) ich:** heiße, komme, wohne | **du:** heißt, kommst, wohnst | **Sie:** heißen, kommen, wohnen

7   **Eva:** Guten Tag. Mein Name ist Eva. Wie heißt du? | **Eduardo:** Ich heiße Eduardo. **Eva:** Woher kommst du, Eduardo? | **Eduardo:** Ich komme aus Spanien. Und du? | **Eva:** Ich komme aus Deutschland. Ich wohne in Köln. Und wo wohnst du? | **Eduardo:** Ich wohne in Sevilla.

9   **b) Städte in Deutschland:** Hamburg, Leipzig, Stuttgart, Berlin, Köln, Frankfurt, München | **Städte in Österreich:** Linz, Wien, Innsbruck | **Städte in der Schweiz:** Bern, Zürich, Genf, Basel

11   2. kommt, in 3. aus, Er, lernt 4. ist, aus, spricht 6. kommen, wohnen, lernen, gern 7. sind, und, sprechen, Sie
Transkription Hörtext: *Wer macht was?*
1. Das ist Tiago. Tiago kommt aus Portugal. Er wohnt in Lissabon. Er spricht Portugiesisch und Spanisch. Er lernt jetzt Japanisch. Tiago kocht gern. | 2. Das ist Steffi. Steffi kommt aus Deutschland. Sie wohnt in München. Sie spricht Deutsch und lernt jetzt Russisch. Sie spielt gern Tennis. | 3. Das ist Viktor. Viktor kommt aus Schweden. Er wohnt in Stockholm. Er spricht Schwedisch, Englisch und Dänisch. Jetzt lernt er Chinesisch. Viktor fotografiert gern. | 4. Das ist Max. Max kommt aus Österreich. Er wohnt in Graz. Er spricht Deutsch und Italienisch. Er hört gern Musik. | 5. Das sind Alexis und Yanis. Alexis und Yanis kommen aus Griechenland. Sie wohnen in Athen. Sie sprechen Griechisch und Englisch. Jetzt lernen sie Deutsch. Alexis und Yanis spielen gern Fußball. | 6. Das sind Lara und Anna. Lara und Anna sind aus der Schweiz. Sie wohnen in Bern. Sie sprechen Deutsch, Französisch und Italienisch. Sie lernen jetzt Englisch. Lara und Anna schwimmen gern. | 7. Das sind Dávid, Lili, Dóra, Fanni und Levente. Sie kommen aus Ungarn und wohnen in Budapest. Sie sprechen Ungarisch, Englisch und Französisch. Sie tanzen gern.

13   ich wohne, du wohnst, er/sie wohnt, sie/Sie wohnen | ich spiele, du spielst, er/sie spielt, sie/Sie spielen | ich höre, du hörst, er/sie hört, sie/Sie hören | ich lerne, du lernst, er/sie lernt, sie/Sie lernen | ich heiße, du heißt, er/sie heißt, sie/Sie heißen | ich tanze, du tanzt, er/sie tanzt, sie/Sie tanzen | ich bin, du bist, er/sie ist, sie/Sie sind

14   Ich spiele (nicht so) gern Computerspiele. 1. Ich spiele (nicht so) gern Tennis. 2. Ich höre (nicht so) gern Musik. 3. Ich lerne (nicht so) gern Deutsch. 4. Ich spiele (nicht so) gern Fußball. 5. Ich tanze (nicht so) gern. 6. Ich wohne (nicht so) gern in ... 7. Ich fotografiere (nicht so) gern. 8. Ich koche (nicht so) gern.

15   **Das ist Franz.** Er kommt aus Deutschland. Er wohnt in München. Er spricht Deutsch. Er spielt gern Fußball. | **Das ist Martina.** Sie kommt aus der Schweiz. Sie wohnt in Bern. Sie spricht Deutsch und Französisch. Sie lernt gern Sprachen. | **Das sind Lars, Rasmus und Johan.** Sie kommen aus Dänemark. Sie wohnen in Kopenhagen. Sie sprechen Dänisch, Schwedisch und Englisch. Sie spielen gern Jazz.

17   **b)** Welche Sprachen sprechen Sie? Sprechen Sie Russisch? Sprichst du Polnisch?

18   **c)** 1. Ja, wir sprechen Englisch. 2. Ja, wir kochen gern. 3. Ja, ich lerne Deutsch. 4. Nein, wir wohnen in Athen. 5. Ja, ich höre gern Musik. 6. Nein, wir machen lieber Gymnastik. 7. Ja, ich fotografiere gern. 8. Nein, wir kommen aus Schweden. **d)** 1. Du 2. ihr 3. Er 4. Wir 5. Sie 6. Ich.

19   **a)** 1. kommt, kommen 2. Wohnt, wohnen 3. macht, lernen 4. sprecht, sprechen **b)** Wir wohnen in Prag. Woher kommt ihr? Welche Sprachen sprecht ihr noch? Wohnt ihr in Prag? **c)** 1. Er wohnt in Athen. 2. Ich spreche Spanisch. 3. Wo

wohnst du? 4. Wir lernen jetzt Deutsch. 5. Fotografiert ihr gern?

20   **a)** 1. Woher kommst du?/Woher kommen Sie? 2. Wo wohnst du?/Wo wohnen Sie? 3. Was machst du gern?/Was machen Sie gern? 4. Welche Sprachen sprichst du?/Welche Sprachen sprechen Sie? 5. Sprichst du ein bisschen Spanisch?/Sprechen Sie ein bisschen Spanisch?
b) Beispieldialog: A: Wie heißen Sie? | **B:** Ich heiße Paola Gomez. Und Sie? | **A:** Ich heiße Max Müller. | **B:** Woher kommen Sie? | **A:** Ich komme aus Deutschland. Und Sie? | **B:** Ich komme aus Spanien. | **A:** Wo wohnen Sie? | **B:** Ich wohne in Madrid. Und Sie? | **A:** Ich wohne in München. | **B:** Was machen Sie gern? | **A:** Ich schwimme gern. Und Sie? | **B:** Ich spiele gern Tennis. | **A:** Welche Sprachen sprechen Sie? | **B:** Ich spreche Spanisch, Französisch und Englisch. Und Sie? | **A:** Ich spreche Deutsch, Englisch und ein bisschen Spanisch.

22   **Begrüßung:** 1. Hallo! 2. Grüß Gott! 3. Servus! 4. Guten Tag! | **Verabschiedung:** 1. Servus! 2. Tschüss! 3. Auf Wiedersehen!

Vertiefungsteil

Ü1   1. Guten Tag! 2. Tschüss! 3. Danke. – Bitte. 4. Guten Abend! 6. Gute Nacht!

Ü2   **Florian:** Hallo! Ich bin Florian. Wie heißt du? | **Lena:** Ich heiße Lena. | **Florian:** Woher kommst du, Lena? | **Lena:** Ich komme aus Polen. Und du? | **Florian:** Ich komme aus der Schweiz. Ich wohne in Basel. Und wo wohnst du? | **Lena:** Ich wohne in Warschau.

Ü3   1. Frau Gruber spielt gern Tennis. 2. Herr Graf fotografiert gern. 3. Herr Steiner kocht gern. 4. Franzi und Emma schwimmen gern.

Ü4   1. Du kommst aus Deutschland. 2. Er wohnt in München. 3. Ihr sprecht Deutsch und Englisch. 4. Anna spielt Fußball. 5. Wir kochen gern. 6. Das sind Alexis und Yanis.

Ü5   **Susanne:** Hallo, ich bin Susanne. | **Marie:** Hallo, ich bin Marie, das ist Adam. Woher kommst du, Susanne? | **Susanne:** Ich komme aus Österreich, aus Wien. Und ihr? Woher kommt ihr? | **Adam:** Wir kommen aus Tschechien. | **Susanne:** Ah, aus Tschechien! Wohnt ihr in Prag? | **Adam:** Ja, wir wohnen in Prag. | **Susanne:** Was macht ihr hier in Berlin? | **Marie:** Wir lernen Deutsch. | **Susanne:** Toll! Welche Sprachen sprecht ihr noch? | **Marie:** Wir sprechen Tschechisch, Englisch und ein bisschen Russisch. Und du? | **Susanne:** Ich spreche Deutsch, Englisch und auch ein bisschen Russisch. | **Marie:** Du sprichst Russisch! Interessant!

Ü6   1. Woher 2. du 3. Welche 4. Was 5. in 6. ihr 7. sprecht 8. ihr 9. Spielt 10. heißen 11. Sie 12. machen 13. kommen 14. gern

Ü7   1. **spielen:** Klavier, Tennis, Fußball, Volleyball 2. **sprechen:** Dänisch, Portugiesisch, Japanisch 3. **lernen:** Deutsch, schwimmen, sprechen

Ü8   1. Wohnen Sie in Helsinki? – Nein, wir wohnen in Oslo. 2. Lernt ihr Deutsch? – Nein, wir lernen Russisch. 3. Kocht Laura gern? – Nein, sie macht lieber Sport. 4. Spielt Oliver gern Fußball? – Nein, er schwimmt lieber. 5. Ist Kathrin in Deutschland? – Nein, sie ist in Amerika. 6. Kommen Carla und Norbert aus Zürich? – Nein, sie kommen aus Basel. 7. Sprechen Sie Französisch? – Nein, ich spreche Englisch und Deutsch.

Ü9   1. Woher kommen Sie? – Ich komme aus Österreich. 2. Wo wohnen Sie? – Ich wohne in Wien. 3. Welche Sprachen sprechen Sie? – Ich spreche Deutsch und Englisch. 4. Was lernen Sie jetzt? – Ich lerne jetzt Japanisch. 5. Was machen Sie gern? – Ich koche und schwimme gern.

Ü10   **Beispieltexte:** Das ist Diego Perez. Diego kommt aus Chile. Er wohnt in Santiago de Chile. Diego spricht Spanisch und Französisch. Er lernt jetzt Deutsch. Er spielt gern Gitarre und hört gern Musik.

Lösungen

Das ist Tatjana Smirnow. Tatjana kommt aus Russland. Sie wohnt in Moskau. Tatjana spricht Russisch und Englisch. Sie lernt jetzt Deutsch. Sie spielt gern Tennis. Sie fotografiert gern.

Abschlusstest
T1 1. ist 2. Woher 3. wohnt 4. lernen 5. du 6. Tanzt 7. Wir 8. Welche *(8 x 0,5 P.)*

T2 1. Sie 2. Woher 3. Wo 4. Was 5. Hören/Machen 6. Welche 7. Sprechen 8. Spielen *(8 x 1 P.)*

T3 1. Sie wohnt in Stockholm. 2. Sie spricht Schwedisch, Englisch und Deutsch. 3. Viktoria fotografiert gern. 4. Sie lernt jetzt Französisch. *(4 x 2 P.)*

Kapitel 2

Hauptteil
2 a) der Kellner – die Kellnerin, der Arzt – die Ärztin, der Informatiker – die Informatikerin, der Lehrer – die Lehrerin, der Assistent – die Assistentin, der Student – die Studentin, der Architekt – die Architektin, der Ingenieur – die Ingenieurin
b) 1. Später arbeitet er als Musiker. 2. Später arbeitet er als Physiker. 3. Später arbeitet sie als Köchin. 4. Später arbeitet sie als Mathematikerin. 5. Später arbeitet er als Journalist. 6. Später arbeitet sie als Designerin.

5 1. h 2. e 3. c (j) 4. a 5. b 6. d 7. j (c) 8. g 9. k 10. i

10 a) 1. Nein, das ist kein Autoschlüssel. Das ist ein Zimmerschlüssel. Das ist der Zimmerschlüssel von Edwin. 2. Nein, das ist kein Sonnenschirm. Das ist ein Regenschirm. Das ist der Regenschirm von Susanne. 3. Nein, das ist kein Volleyball. Das ist ein Fußball. Das ist der Fußball von Paul. 4. Nein, das ist keine Gitarre. Das ist ein Cello. Das ist das Cello von Ludger. 5. Nein, das ist kein Lehrbuch. Das ist ein Wörterbuch. Das ist das Wörterbuch von Juliane. 6. Nein, das ist keine Tageszeitung. Das ist eine Modezeitschrift. Das ist die Modezeitschrift von Elena.
c) 1. Ist das deine Zeitung? – Ja, das ist meine Zeitung. 2. Ist das deine Uhr? – Ja, das ist meine Uhr. 3. Ist das dein Handy? – Nein, das ist das Handy von Frau Krause. 4. Ist das dein Auto? – Ja, das ist mein Auto. 5. Ist das dein Schlüssel? – Ja, das ist mein Schlüssel. 6. Ist das dein Stuhl? – Nein, das ist der Stuhl von Jürgen. 7. Ist das dein Lehrbuch? – Ja, das ist mein Lehrbuch.

11 b) **In Büro A:** ein Stuhl, ein Drucker, eine Kaffeemaschine, ein Handy, eine Brille, ein Stift, ein Telefon, ein Kalender, ein Laptop, eine Tasse, ein Schreibtisch, eine Lampe, kein Computer, kein Regenschirm, kein Bild, kein Bildschirm
In Büro B: ein Stuhl, ein Computer, ein Drucker, eine Kaffeemaschine, eine Tasse, ein Stift, ein Telefon, ein Regenschirm, ein Bild, ein Bildschirm, ein Schreibtisch, eine Lampe, kein Handy, kein Laptop, keine Brille, kein Kalender

12 b) der Drucker – ein Drucker – kein Drucker – mein Drucker, die Tasche – eine Tasche – keine Tasche – meine Tasche, das Auto – ein Auto – kein Auto – mein Auto

13 Das ist meine Zeitung. Was ist deine Muttersprache? Ist das eine Modezeitschrift? Ich studiere in Leipzig. Frau Müller schreibt viele E-Mails. Knut liest gern.

15 a) 1. 18 Stühle 2. 17 Stifte 3. 2 Drucker 4. 12 Schlüssel 5. 21 Tassen 6. 4 Zeitungen 7. 8 Bilder 8. 5 Computer 9. 6 Lampen 10. 7 Regenschirme 11. 45 Bücher 12. 14 Taschen 13. 9 Handys 14. 3 Tische 15. 13 Laptops
c) -(e)n: die Tassen – die Tasse, die Zeitungen – die Zeitung, die Lampen – die Lampe, die Taschen – die Tasche | -e: die Stifte – der Stift, die Regenschirme – der Regenschirm, die Tische – der Tisch | --: die Schlüssel – der Schlüssel, die Computer – der Computer | -s: die Laptops – der Laptop | -er: die Bilder – das Bild

16 a) **Beispieldialog: A:** Wie ist die Telefonnummer von Martina? | **B:** Die Telefonnummer von Martina ist 5 26 39 81. |

A: Wie ist die Telefonnummer von Doktor Müller? | **B:** Die Telefonnummer von Doktor Müller ist 6 47 35 27. Wie ist die Telefonnummer von Anton? | **A:** Die Telefonnummer von Anton ist 2 25 34 71. Wie ist die Telefonnummer von Eva? | **B:** Die Telefonnummer von Eva ist 9 98 76 53. Wie ist die Telefonnummer von der Polizei? | **A:** Die Telefonnummer von der Polizei ist 110. Wie ist die Telefonnummer von der Feuerwehr? | **B:** Die Telefonnummer von der Feuerwehr ist 112.
b) **Dialog 1: B:** Welches Kennzeichen hat dein Auto? | **A:** Mein Auto hat das Kennzeichen B-OP 3657. | **B:** Wohnst du in Berlin? | **A:** Ja, ich wohne in Berlin.
Dialog 2: A: Welches Kennzeichen hat das Auto von Otto? | **B:** Das Auto von Otto hat das Kennzeichen H-FC 865. | **A:** Wohnt Otto in Hannover? | **B:** Ja, er wohnt in Hannover.
Dialog 3: A: Welches Kennzeichen hat das Auto von Marie? | **B:** Das Auto von Marie hat das Kennzeichen F-MX 354. | **A:** Wohnt Marie in Frankfurt? | **B:** Ja, sie wohnt in Frankfurt.

17 **Beispielsätze: Deutschland** ist 357 375 km² groß. Deutschland hat 82,2 Millionen Einwohner, 16 Bundesländer und vier Millionenstädte. In der Hauptstadt Berlin wohnen 3,5 Millionen Menschen. Die Vorwahl für Deutschland ist 0049. | **Österreich** ist 83 879 km² groß. Österreich hat 8,7 Millionen Einwohner, neun Bundesländer und eine Millionenstadt. In der Hauptstadt Wien wohnen 1,8 Millionen Menschen. Die Vorwahl für Österreich ist 0043. | **Die Schweiz** ist 41 285 km² groß. Die Schweiz hat 8,4 Millionen Einwohner, 26 Kantone und keine Millionenstadt. In der Hauptstadt Bern wohnen 142 000 Menschen. Die Vorwahl für die Schweiz ist 0041.

20 a) 1. die Kinder 2. die Tante 3. die Frau 4. der Sohn 5. die Schwester 6. die Eltern 7. der Bruder 8. der Onkel 9. die Tochter 10. der Bruder 11. der Mann
b) 1. e 2. b 3. a 4. d

21 1. a) zusammen in Berlin b) verheiratet c) geschieden, allein in Köln 2. a) Ingenieur bei Siemens b) ist Französischlehrerin c) ist Journalistin d) arbeitet als Kommissar bei der Polizei 3. a) Englisch und Französisch, Deutsch b) Deutsch und Italienisch, Französisch c) perfekt Französisch 4. a) kocht gern b) liest gern Liebesromane c) hört gern Musik und kocht gern d) spielt gern am Computer e) spielt gern Gitarre

22 1. Seine 2. seine 3. ihre 4. Ihre 5. seine 6. ihr

23 **Fragen:** Wo wohnen Sie? Wie ist Ihre Adresse? Sind Sie verheiratet/ledig? Was ist Ihr Beruf?/Was machen Sie beruflich? Was machen Sie als (Journalistin)? Was ist Ihre Muttersprache? Welche Sprachen sprechen Sie noch? Was sind Ihre Hobbys?/Was machen Sie gern?

24 **Beispieltext:** Christoph Waltz ist Schauspieler. Er kommt aus Österreich. Er wohnt heute in Los Angeles und Berlin. Er ist Oscar- und Golden-Globe-Preisträger. Er arbeitet mit Quentin Tarantino. Sein berühmtester Film heißt Inglorious Bastards. Er ist verheiratet.

Vertiefungsteil
Ü1 1. Ein Arzt untersucht Patienten. 2. Eine Informatikerin entwickelt Computerspiele. 3. Ein Kellner bedient Gäste. 4. Eine Assistentin schreibt viele E-Mails. 5. Eine Studentin liest viele Bücher. 6. Ein Ingenieur konstruiert Maschinen. 7. Ein Architekt präsentiert Projekte. 8. Ein Lehrer unterrichtet Kinder.

Ü2 1. Schreibst du viele E-Mails? 2. Was machen Sie beruflich? 3. Ich lese gern Bücher. 4. Ich präsentiere meine Projekte auf Deutsch. 5. Beate und Philip studieren Journalistik. 6. Eva und Anton konstruieren Solarautos. 7. Manager und Ingenieure haben viele Besprechungen.

Ü3 **Lösungswort:** Gegenstand 1. FLASCHE 2. ZEITUNG 3. LEHRBUCH 4. HANDY 5. STUHL 6. TISCH 7. TASCHE 8. MEDIKAMENT 9. BILD

Ü4 1. dein Regenschirm 2. ihr Handy 3. deine Zeitung 4. seine Uhr 5. sein Auto 6. sein Schreibtisch 7. Ihre Tasche 8. ihre Tasse 9. meine Brille 10. Ihr Stuhl 11. mein Schlüssel

Ü5 1. Wie ist Ihr Name? 2. Ist das sein Computer? 3. Was ist dein Hobby? 4. Wie ist ihre Adresse? 5. Meine Schwester ist Lehrerin. 6. Was ist deine Muttersprache? 7. Ist das Ihr Schlüssel? 8. Das ist mein Stift. 9. Wie ist seine Telefonnummer? 10. Was ist Ihr Autokennzeichen?

Ü6 die Zeitung – die Zeitungen, der Computer – die Computer, der Schlüssel – die Schlüssel, das Auto – die Autos, der Kalender – die Kalender, die Brille – die Brillen, die Tasse – die Tassen, das Handy – die Handys, der Stuhl – die Stühle, die Tasche – die Taschen, die Uhr – die Uhren, der Stift – die Stifte, der Regenschirm – die Regenschirme, das Bild – die Bilder, das Medikament – die Medikamente, die Kaffeemaschine – die Kaffeemaschinen, der Laptop – die Laptops

Ü7 1. 18 2. 32 3. 16 4. 70 5. 83 6. 105 7. 54 8. 231 9. 399 10. 17 11. 14 12. 36 13. 49

Ü8 1. acht 2. vierundneunzig 3. achtzehn 4. zwölf 5. fünfzig 6. sechshundert 7. dreitausend 8. zwanzigtausend

Ü9 1. Spanien ist so groß wie Thailand. Beide Länder haben eine Fläche von 510 000 km². 2. Österreich ist so groß wie die Vereinigten Arabischen Emirate. Beide Länder haben eine Fläche von 83 000 km². 3. Bosnien-Herzegowina ist so groß wie Costa Rica. Beide Länder haben eine Fläche von 51 000 km². 4. Die Schweiz ist so groß wie die Niederlande. Beide Länder haben eine Fläche von 41 000 km².

Ü10 1. 089 3619590 2. 030 565420 3. 0044 1227 761862 4. 0117 384016

Ü11 1. die Tochter 2. die Schwester 3. die Tante 4. die Mutter 5. die Freundin

Ü12 1. ledig 2. geschieden 3. verheiratet

Ü13 **Beispieltext:** Annett Louisan ist Sängerin. Sie singt deutsche Lieder und Chansons. Sie lebt heute in Hamburg. Sie ist verheiratet. Ihre CDs haben großen Erfolg.

Ü14 1. kommst du 2. machst du 3. Ist 4. lernst du 5. Sprachen sprichst du 6. Und du?

Abschlusstest

T1 1. schreibe 2. arbeitet 3. präsentiert 4. malt 5. ist 6. entwickelt *(6 x 1 P.)*

T2 a) 1. ein Stuhl 2. ein Tisch 3. eine Lampe 4. ein Telefon 5. ein Stift 6. eine Brille 7. ein Bildschirm 8. ein Kalender *(8 x 0,5 P.)*
b) 1. der Bruder 2. der Sohn 3. der Vater 4. der Onkel *(4 x 0,5 P.)*

T3 1. deine 2. seine 3. Ihre 4. ihre *(4 x 1 P.)*

T4 1. Ich komme aus Schweden. 2. Ich studiere Journalistik. 3. Aber ich lese auch viele Bücher auf Englisch. 4. Welche Sprachen sprichst du? *(4 x 1 P.)*

Kapitel 3

Hauptteil

1 b) 1. f 2. d 3. i 4. a 5. g 6. e 7. b 8. h

5 a) 1. einen Tee, einen Orangensaft, einen Kaffee 2. einen Kaffee 3. einen Tee, einen Kaffee, ein Wasser 4. ein Stück 5. keinen Schokoladenkuchen
c) **Akkusativ:** den Kaffee, einen Kaffee, keinen Kaffee – die Limonade, eine Limonade, keine Limonade

6 a) 1. eine 2. eine 3. einen 4. ein 5. einen 6. einen 7. ein 8. ein 9. eine 10. eine
b) 1. Ich brauche eine Brille. – Ich habe keine Brille. 2. Ich brauche ein Handy. – Ich habe kein Handy. 3. Ich brauche eine Tasche. – Ich habe keine Tasche. 4. Ich brauche eine Uhr. – Ich habe keine Uhr. 5. Ich brauche einen Computer. – Ich habe keinen Computer. 6. Ich brauche einen Regenschirm. – Ich habe keinen Regenschirm. 7. Ich brauche ein Lehrbuch. – Ich habe kein Lehrbuch. 8. Ich brauche einen Drucker. – Ich habe keinen Drucker.
c) 1. Wie findest du die Brille? – Sie ist schön. 2. Wie findest du den Kuchen? – Er ist lecker. 3. Wie findest du

das Auto? – Es ist schön. 4. Wie findest du das Buch? – Es ist gut. 5. Wie findest du den Tisch? – Er ist schön. 6. Wie findest du die Uhr? – Sie ist schön. 7. Wie findest du das Brötchen? – Es ist lecker. 8. Wie findest du die Suppe? – Sie ist lecker.

7 a) 1. Möchtest du einen Orangensaft trinken? – Nein, ich möchte keinen Orangensaft. Ich trinke lieber ein Mineralwasser. 2. Möchtest du eine Cola trinken? – Nein, ich möchte keine Cola. Ich trinke lieber einen Apfelsaft. 3. Möchtest du einen Eistee trinken? – Nein, ich möchte keinen Eistee. Ich trinke lieber einen Kaffee mit Milch. 4. Möchtest du ein Bier trinken? – Nein, ich möchte kein Bier. Ich trinke lieber einen Tee.
b) 1. Möchtest du eine Currywurst essen? – Nein, ich möchte keine Currywurst. Ich esse lieber eine Suppe. 2. Möchtest du ein Brötchen mit Käse essen? – Nein, ich möchte kein Brötchen mit Käse. Ich esse lieber einen Apfel. 3. Möchtest du eine Pizza essen? – Nein, ich möchte keine Pizza. Ich esse lieber ein Stück Schokoladenkuchen. 4. Möchtest du eine Suppe essen? – Nein, ich möchte keine Suppe. Ich esse lieber ein Schnitzel.

8 a) A: **Das Verb:** Das konjugierte Verb steht auf Position 2 oder 1. Der Infinitiv steht am Satzende.
B: **Das Subjekt:** Das Subjekt steht oft auf Position 1, manchmal auf Position 3.
b) 1. Möchten Sie einen Kaffee trinken? 2. Otto möchte heute kein Schnitzel essen./Heute möchte Otto kein Schnitzel essen. 3. Wir möchten keinen Tee trinken.

9 a) 1. Andreas 2. Petra 3. Andreas 4. Andreas 5. Petra 6. Petra 7. Andreas 8. Andreas
e) Andreas wohnt in Basel. Er besucht eine Konferenz in Frankfurt. Er ist verheiratet und hat einen Sohn. Seine Frau arbeitet als Ärztin. Petra wohnt in Frankfurt. Sie ist Single. Sie arbeitet als Datenanalystin bei der Deutschen Bank. Andreas und Petra möchten zusammen ein Schnitzel essen und ins Museum gehen.

10 1. Er ist beruflich hier. 2. Er besucht eine Konferenz. 3. Morgen präsentiert Andreas ein Projekt. 4. Heute möchte er ins Museum gehen. 5. Der Lieblingsmaler von Andreas ist Claude Monet.

12 c) **sein (Präsens):** ich bin, du bist, er/sie/es ist, wir sind, ihr seid, sie/Sie sind
sein (Präteritum): ich war, du warst, er/sie/es war, wir waren, ihr wart, sie/Sie waren

14 b) 1. die Touristeninformation 2. eine Apotheke 3. ein Café 4. einen Parkplatz 5. einen Supermarkt 6. ein Museum 7. ein Restaurant 8. den Bahnhof 9. ein Hotel 10. ein Kino
c) 1. Otto sucht eine Bank. Er möchte Geld abheben. 2. Emma und Hilde suchen ein Café. Sie möchten (einen) Schokoladenkuchen essen. 3. Dr. Sander sucht einen Parkplatz. Er möchte sein Auto parken. 4. Ich suche einen Supermarkt. Ich möchte zwei Flaschen Wasser kaufen. 5. Wir suchen den Bahnhof. Wir möchten zwei Fahrkarten kaufen. 6. Ich suche ein Restaurant. Ich möchte ein Schnitzel essen. 7. Andreas sucht ein Hotel. Er möchte in Frankfurt übernachten. 8. Wir suchen ein Kino. Wir möchten einen Film sehen. 9. Ich suche das Museum. Ich möchte Bilder von Vincent van Gogh sehen. 10. Luise sucht die Touristeninformation. Sie möchte ein Buch über Frankfurt lesen/kaufen.

17 a) **Familienname:** Müller | **Vorname:** Andreas | **Geburtsort:** Berlin | **Geburtsdatum:** 24.5.1983 | **Staatsangehörigkeit:** deutsch | **Postleitzahl:** 4051 | **Wohnort:** Basel | **Straße/ Hausnummer:** Steinengraben 61 | **Telefon:** +41 61 8465392 | **E-Mail:** andreas.mueller@bluewin.ch | **Datum:** 15.6.
b) 1. Familienname 2. Geburtsdatum 3. Geburtsort 4. Staatsangehörigkeit 5. Postleitzahl, Wohnort 6. Straße, Hausnummer 7. Telefonnummer 8. E-Mail

18 b) Ich lese Bücher über Frankfurt. Liebe Grüße aus München. Wir übernachten im Hotel. Ich bin Künstler und wohne in Zürich. Das Frühstück kostet extra. Ich habe fünf Schlüssel. So eine Überraschung!

Lösungen

c) vier Bücher, liebe Grüße, viele Stühle, fünf Zimmer

19 b) **Beispielmail:** Lieber Klaus, viele Grüße aus Berlin. Ich wohne im Hotel B2. Jetzt trinke ich einen Kaffee mit Sabine. Wir gehen heute noch ins Kino und danach essen wir im Restaurant *Mare*. Morgen präsentiere ich mein Projekt und fahre zurück nach Amsterdam. Bis bald
Claas

20 b) 1. Skyline, Mainhattan/Bankfurt 2. Banken 3. Flughafen, Jahre alt 4. Universitäten 5. 1 000 Gemälde

22 **Beispielmail:** Sehr geehrte Damen und Herren, mein Name ist Marie Schmidt und ich möchte gern Frankfurt besuchen. Ich brauche einige Informationen über Hotels und Museen. Welche Hotels gibt es im Zentrum? Was kostet ein Zimmer für eine Nacht? Ich möchte auch gern in ein Museum gehen. Vielen Dank!
Mit freundlichen Grüßen
Marie Schmidt

Vertiefungsteil

Ü1 1. geht 2. brauche (nehme/trinke) 3. möchtest 4. nehme (trinke) 5. trinke (nehme/möchte) 6. Möchten (Nehmen) 7. Möchtest (Nimmst) 8. nehme (möchte) 9. zahlen 10. macht

Ü2 **Beispieldialog:** 1. **Kellnerin:** Was möchten Sie trinken? 2. **Gast:** Ich möchte bitte einen Kaffee. 3. **Kellnerin:** Mit Milch und Zucker? 4. **Gast:** Mit viel Milch und ohne Zucker. 5. **Kellnerin:** Ist das alles? 6. **Gast:** Nein, ich nehme noch ein Wasser. 7. **Kellnerin:** Also einen Kaffee mit Milch und ein Wasser. 8. **Gast:** Ja, bitte. Wie viel kostet ein Stück Käsekuchen? 9. **Kellnerin:** Ein Stück Käsekuchen kostet 2,80 Euro. 10. **Gast:** Dann nehme ich auch noch ein Stück Käsekuchen. 11. **Kellnerin:** Gerne. Vielen Dank.

Ü3 Ich möchte 1. ein Wasser 2. eine Cola 3. einen Tee 4. eine Suppe 5. ein Brötchen 6. ein Stück Kuchen/einen Kuchen 7. einen Orangensaft 8. einen Apfel 9. eine Currywurst 10. einen Salat 11. ein Schnitzel

Ü4 Ich brauche 1. einen Stift 2. ein Auto 3. einen Drucker 4. einen Stuhl 5. einen Computer 6. mein Lehrbuch 7. ein Telefon 8. eine Kaffeemaschine 9. einen Regenschirm

Ü5 Ich brauche 1. einen Schreibtisch 2. einen Laptop/Computer 3. eine Tasche 4. ein Wörterbuch 5. einen Kalender 6. eine Gitarre 7. eine Brille 8. eine Lampe 9. ein Handy 10. einen Bildschirm 11. eine Flasche Wasser

Ü6 1. War New York nicht früher deine Lieblingsstadt? – Ja, das ist sie immer noch. 2. War Terminator 2 nicht früher dein Lieblingsfilm? – Ja, das ist er immer noch. 3. War Martin Suter nicht früher dein Lieblingsautor? – Ja, das ist er immer noch. 4. War Sting nicht früher dein Lieblingssänger? – Ja, das ist er immer noch. 5. War Cola nicht früher dein Lieblingsgetränk? – Ja, das ist es immer noch. 6. War das Deutsche Museum nicht früher dein Lieblingsmuseum? – Ja, das ist es immer noch.

Ü7 1. Konferenz 2. Frau 3. Ärztin 4. Kinder 5. Sohn 6. Single 7. Zentrum 8. Konferenz 9. Projekt 10. Schnitzel 11. Malerei 12. Lieblingsmaler 13. Lieblingsmaler 14. Schnitzel 15. Idee

Ü8 1. Hallo Lisa, ich bin jetzt in München. Gestern war ich mit Anton im Deutschen Museum. Das war super. Heute gehen wir in ein Restaurant am Marienplatz. Bis bald.
2. Hallo Max, ich bin gerade in Wien. Ich war heute im Café Central. Die Sachertorte war lecker! Dann gehe ich mit Eric ins Kino. Wir möchten den Film Terminator 10 sehen. Bis bald.

Ü9 **Lösungswort:** Frankfurt 1. RESERVIERUNG 2. HABEN 3. EIN 4. KOSTET 5. FRÜHSTÜCK 6. GUT 7. BAR 8. KREDITKARTE

Ü10 1. Wir möchten ein Doppelzimmer. 2. Wie lange möchten Sie bleiben? 3. Wir bleiben zwei Nächte. 4. Hat das Zimmer WLAN? 5. Was kostet ein Einzelzimmer? 6. Das Frühstück kostet 30 Euro extra. 7. Ich zahle mit Kreditkarte. 8. Ich brauche noch Ihre persönlichen Angaben.

Ü11 **Beispielsätze:** Die Stadt hat 1,79 Millionen Einwohner. Hamburg ist 755 km² groß. In Hamburg gibt es etwa 45 Theater und 60 Museen, z. B. die berühmte Hamburger

Kunsthalle. Hamburg hat zwei große Fußballvereine (Hamburger SV und FC St. Pauli) und einen Hafen. In Hamburg sind auch viele große Firmen und Redaktionen von Zeitschriften.

Abschlusstest

T1 1. einen Computer 2. ein Telefon 3. eine Lampe 4. einen Bildschirm 5. einen Kalender *(5 x 1 P.)*

T2 1. Ich möchte bitte/nehme/trinke einen Kaffee. 2. Nein, ich möchte/nehme/trinke noch einen Orangensaft. Wie viel/Was kostet ein Käsebrötchen? 3. Dann nehme ich auch noch ein Käsebrötchen. 4. Ich möchte bitte zahlen. *(5 x 1 P.)*

T3 1. war 2. war 3. besuchen 4. wohne 5. ist 6. Möchtest 7. fahre *(7 x 1 P.)*

T4 Wie lange möchten Sie bleiben?/Wie lange bleiben Sie? Was/Wie viel kostet das Zimmer? Wie möchten Sie zahlen/bezahlen? *(3 x 1 P.)*

Kapitel 4

Hauptteil

1 b) 1. lernt 2. macht 3. fährt 4. geht 5. schreibt 6. telefoniert 7. hat 8. macht

2 b) Es ist zehn nach zehn. Der Unterricht beginnt um 10.10 Uhr. | Es ist fünf vor zwölf. Der Unterricht beginnt um 11.55 Uhr. | Es ist zwei Uhr. Der Unterricht beginnt um 14 Uhr. | Es ist halb vier. Der Unterricht beginnt um 15.30 Uhr. | Es ist viertel vor sechs. Der Unterricht beginnt um 17.45 Uhr. | Es ist zwanzig nach sechs. Der Unterricht beginnt um 18.20 Uhr.
c) 1. 8.00 Uhr 2. 11.30 Uhr 3. 12.45 Uhr 4. 15.30 Uhr 5. 10.00 Uhr 6. 17.15 Uhr

3 1. Wann gehst du ins Museum? – Ich gehe um 11.30 Uhr ins Museum. 2. Wann trinkst du Kaffee? – Ich trinke um 14.15 Uhr Kaffee. 3. Wann beginnt der Unterricht? – Der Unterricht beginnt um 17.00 Uhr. 4. Wann ist die Pause? – Die Pause ist um 18.30 Uhr. 5. Wann spielst du Fußball? – Ich spiele um 20.00 Uhr Fußball.

4 b) 1. Das Konzert dauert 2 ½ (zweieinhalb) Stunden./Es geht von 19.30 bis 22.00 Uhr. 2. Der Chef fährt um 16.30 Uhr nach Berlin. 3. Die Fahrt dauert drei Stunden. 4. Die Videokonferenz beginnt um 10.00 Uhr. 5. Der Unterricht beginnt um 18.30 Uhr. 6. Der Unterricht dauert 2 ½ (zweieinhalb) Stunden. 7. Das Fußballspiel ist um 16.30 Uhr zu Ende.
c) 1. Wie lange dauert die Pause? – Die Pause dauert eine Stunde. 2. Wie lange dauert die Besprechung? – Die Besprechung dauert drei Stunden. 3. Wie lange lernst du heute für die Prüfung? – Ich lerne heute vier Stunden. 4. Wie lange fährt Frau Müller nach Hause? – Frau Müller fährt 15 Minuten. 5. Bis wann geht deine Präsentation? – Meine Präsentation geht bis 15.50 Uhr.

9 b) **ich-Laut:** welche, Unterricht, persönlich, ich, Nächte, Bericht, sechzehn, Besprechung, vielleicht, möchte, Bücher, Brötchen | **ach-Laut:** nach, Nachmittag, Nacht, machen, kochen, Kuchen, Buch, auch

10 a) 1. keine Zeit 2. Büro, 14.00 bis 15.00 Uhr, Donnerstag 3. Freitag, 16.00 Uhr

12 b) 1. Wir können am Freitag zusammen Hausaufgaben machen. 2. Du kannst die E-Mail morgen schreiben. 3. Klaus kann sein Projekt schon am Mittwoch präsentieren. 4. Wir können am Samstag zusammen kochen. 5. Wann können wir zusammen nach Wien fahren? 6. Vielleicht können wir am Sonntag zusammen ein Bier trinken. 7. Kannst du am Freitag?

14 c) 1. arbeiten 2. aufstehen 3. frühstücken 4. machen 5. fahren 6. analysieren 7. schreiben 8. haben 9. anfangen 10. dauern 11. anrufen 12. einkaufen 13. kaufen 14. gehen 15. sein 16. besuchen 17. ausgehen

15 **ausgehen:** geht aus | **einkaufen:** kauft ein | **anrufen:** ruft an | **anfangen:** fängt an | **beginnen:** beginnt | **bedienen:**

bedient | **bestellen:** bestellt | **bezahlen:** bezahlt | **besuchen:** besucht | **entwickeln:** entwickelt | **unterrichten:** unterrichtet | **untersuchen:** untersucht | **übernachten:** übernachtet

16 **Beispielsätze: 1.** Die Menschen in Österreich sehen montags bis freitags 2 Stunden fern. Am Wochenende sehen sie 2 ½ Stunden fern. **2.** Montags bis freitags treiben sie 27 Minuten Sport. Am Wochenende treiben sie 45 Minuten Sport. **3.** Am Wochenende sprechen sie etwa 2 Stunden mit Freunden/feiern sie etwa 2 Stunden Partys. **4.** Täglich lesen sie 24 Minuten Bücher, Zeitungen oder Zeitschriften. **5.** Junge Leute in Österreich spielen täglich 1 ½ Stunden Computerspiele. **6.** Die Österreicher hören morgens 1 ½ Stunden Radio.

18 **a) Fragen: 1.** Wann frühstückst du? **2.** Wie lange hörst du morgens Radio? **3.** Wann fährst du ins Büro/zur Universität? **4.** Wann fängt die Arbeit/der Unterricht an? **5.** Wie lange machst du Mittagspause? **6.** Wann kaufst du ein? **7.** Wie lange siehst du fern? **8.** Wie lange treibst du Sport? **9.** Wann gehst du abends ins Bett?

20 **Beispielsätze:** Wann kaufst du ein? – Ich kaufe am Samstag ein. | Was machst du am Wochenende? – Am Wochenende spiele ich Fußball. | Wann machst du Mittagspause? – Ich mache um 12.00 Uhr Mittagspause. | Treibst du Sport? – Ja, ich spiele Tennis. | Wie lange siehst du abends fern? – Ich sehe abends vier Stunden fern. | Kochst du manchmal? – Ja, ich koche am Wochenende.

21 beginnen, bezahlen, fernsehen, anrufen, besuchen, übernachten, bestellen, bedienen, entwickeln, einkaufen, unterrichten, anfangen

22 **Transkription Hörtext:** *Ein Telefongespräch mit Frau Müller* **Frau Müller:** Müller. | **Herr Gruber:** Ja, guten Tag, Frau Müller, hier ist Otto Gruber. Ich möchte bitte mit Frau Lustig sprechen. | **Frau Müller:** Ist es dringend? | **Herr Gruber:** Ja, ich möchte eine Projektidee vorstellen. Ist es heute möglich? | **Frau Müller:** Also, am Vormittag hat Frau Lustig leider keine Zeit. Um 9.00 Uhr hat Frau Lustig eine Besprechung mit dem Direktor. Die Besprechung dauert zwei Stunden. Um 11.00 Uhr hat Frau Lustig eine Telefonkonferenz und um 12.30 Uhr macht sie Mittagspause. | **Herr Gruber:** Und wie ist es am Nachmittag? Hat Frau Lustig vielleicht am Nachmittag Zeit? | **Frau Müller:** Um 13.30 Uhr schreibt Frau Lustig einen Bericht, um 14.30 Uhr telefoniert sie mit Kollegen in London und um 16.00 Uhr fährt sie nach Berlin. Sie können heute leider nicht mit Frau Lustig sprechen. | **Herr Gruber:** Und morgen? Hat Frau Lustig vielleicht morgen Zeit? | **Frau Müller:** Morgen ist Samstag, Herr Gruber. Sie können gerne am Montag wieder anrufen. Dann ist meine Kollegin Katja Esser hier. | **Herr Gruber:** Gut, ich rufe am Montagvormittag wieder an. Welche Telefonnummer hat Frau Esser? | **Frau Müller:** Moment ... die Nummer von Frau Esser ist 7 63 54 26. | **Herr Gruber:** Ich wiederhole: 7 63 54 26. | **Frau Müller:** Ja. Viel Erfolg, Herr Gruber. | **Herr Gruber:** Vielen Dank. Auf Wiederhören!
a) 9.00 Uhr, 11.00 Uhr, Mittagspause, 14.30 Uhr, in London, Berlin
b) 1. dringend **2.** eine Projektidee vorstellen **3.** Zeit **4.** Die Besprechung dauert **5.** Mittagspause **6.** einen Bericht **7.** nach Berlin **8.** Und morgen? **9.** gerne am Montag **10.** Welche Telefonnummer hat **11.** Ich wiederhole **12.** Viel Erfolg

23 **Beispieldialog: Mario:** Mario Gumpert. | **Eva:** Ja, guten Tag, Herr Gumpert, hier ist Eva Novak. Ich möchte bitte mit Frau Meier sprechen. | **Mario:** Ist es dringend? | **Eva:** Ja, ich möchte eine Projektidee präsentieren. Ist das heute möglich? | **Mario:** Moment bitte ... Also, heute hat Frau Meier leider keine Zeit. | **Eva:** Und wie ist es morgen? Hat Frau Meier vielleicht morgen Zeit? | **Mario:** Morgen ist Samstag, Frau Novak. Am Wochenende arbeitet Frau Meier nicht. Sie können gerne am Montag wieder anrufen. Da ist mein Kollege Herr Schneider hier. | **Eva:** Gut, dann rufe ich am Montag wieder an. Welche Telefonnummer hat Herr Schneider? | **Mario:** Die Nummer ist 86 53 42 86. | **Eva:**

Ich wiederhole: 86 53 42 86. Vielen Dank, Herr Gumpert. | **Mario:** Bitte sehr. Auf Wiederhören!

24 **1.** A **2.** B **3.** A **4.** B

Vertiefungsteil

Ü1 **1.** 9.30 Uhr **2.** 14.23 Uhr **3.** 11.45 Uhr **4.** 9.10 Uhr **5.** 17.19 Uhr **6.** 11.15 Uhr

Ü2 **1.** um 12.10 Uhr **2.** um 15.40 Uhr **3.** um 17.45 Uhr **4.** um 18.30 Uhr **5.** um 8.05 Uhr/20.05 Uhr **6.** um 9.20 Uhr/21.20 Uhr

Ü3 **1.** Donnerstag **2.** mittags **3.** der Abend **4.** Montag **5.** nachts **6.** Samstag/Sonnabend **7.** Guten Tag! **8.** die Minute **9.** der Tag

Ü4 **1.** von, bis, Am **2.** Am **3.** um **4.** Von, bis **5.** am, um **6.** Um

Ü5 **1.** Ich kann gut kochen. **2.** Herr König kann gut fotografieren. **3.** Sie kann gut Tennis spielen. **4.** Ihr könnt gut Fahrrad fahren. **5.** Ihr könnt gut schwimmen. **6.** Herr Kunze und Herr Bauer können gut Schach spielen. **7.** Sie können gut Handball spielen.

Ü6 **1.** Ich kann am Samstag Tennis spielen. **2.** Kannst du gut Gitarre spielen? **3.** Ich kann Petra morgen besuchen. **4.** Wann können wir zusammen kochen? **5.** Du kannst jetzt Pause machen. **6.** Ihr könnt heute zwei Stunden fernsehen.

Ü7 **1.** schläft **2.** sieht fern **3.** spricht **4.** arbeitet **5.** isst, trinkt, kocht **6.** sitzt **7.** treibt **8.** geht **9.** spielt

Ü8 **1.** Sie besucht jeden Tag Vorlesungen und Seminare. **2.** Er bedient Gäste. **3.** Sie entwickelt Computerprogramme. **4.** Er untersucht Patienten. **5.** Sie unterrichtet Kinder. **6.** Er steht um 6.00 Uhr auf. **7.** Sie kauft Produkte für ihre Firma ein. **8.** Sie beginnt um 8.00 Uhr mit der Arbeit. **9.** Sie malt viele Bilder.

Ü9 **Lösungswort:** Tagesablauf **1.** FRAU **2.** DRINGEND **3.** PROJEKT **4.** BESPRECHUNG **5.** AM **6.** BERICHT **7.** LEIDER **8.** DONNERSTAG **9.** RUFE **10.** KONFERENZ

Ü10 **1.** d **2.** f **3.** a **4.** j **5.** b **6.** e **7.** i **8.** g **9.** h

Ü11 **Beispieldialog: Reporter:** Heute möchte ich mit Frau Elvira Eschenbach über ihren Tagesablauf sprechen. Frau Eschenbach arbeitet als Journalistin für eine Regionalzeitung. Wo wohnen Sie, Frau Eschenbach? | **Frau Eschenbach:** Ich wohne in Dresden. | **Reporter:** Wann beginnt Ihr Tag? Um wie viel Uhr stehen Sie auf? | **Frau Eschenbach:** Ich stehe meistens um 7.00 Uhr auf. | **Reporter:** Was frühstücken Sie? | **Frau Eschenbach:** Ich frühstücke nicht. Morgens habe ich keinen Hunger. | **Reporter:** Machen Sie Gymnastik? | **Frau Eschenbach:** Nein, ich mache keine Gymnastik. | **Reporter:** Wann fahren Sie ins Büro? | **Frau Eschenbach:** Ich fahre um 8.00 Uhr ins Büro. | **Reporter:** Fahren Sie mit dem Auto? | **Frau Eschenbach:** Ja, ich fahre mit dem Auto. Das ist praktisch und schnell. | **Reporter:** Was machen Sie im Büro? | **Frau Eschenbach:** Also, ich habe immer viel zu tun. Ich recherchiere im Internet, schreibe Artikel, mache Interviews und Fotos. Ich habe jeden Tag zwei oder drei Besprechungen. | **Reporter:** Wann haben Sie Mittagspause? | **Frau Eschenbach:** Von 12.00 bis 12.30 Uhr. | **Reporter:** Was machen Sie am Abend? | **Frau Eschenbach:** Am Abend gehe ich ins Fitnessstudio oder mit Freunden in ein Restaurant. | **Reporter:** Wann gehen Sie ins Bett? | **Frau Eschenbach:** Um halb zwölf oder um Mitternacht.

Abschlusstest

T1 **1.** 14.30 Uhr **2.** 10.15 Uhr **3.** 15.40 Uhr **4.** 13.45 Uhr *(4 x 0,5 P.)*

T2 **1.** Wann beginnt der Unterricht? **2.** Wie lange dauert er/der Unterricht? **3.** Wie lange/Von wann bis wann geht das Fußballspiel? **4.** Hast du am Montag Zeit? *(4 x 1 P.)*

T3 der Montag, der Mittwoch, der Donnerstag, (der Sonnabend), der Sonntag *(4 x 0,5 P.)*

T4 12 Monate, 52 Wochen, 525 600 Minuten, 31 536 000 Sekunden *(4 x 0,5 P.)*

T5 **1.** Um 8.30 Uhr frühstückt sie. **2.** Um 9.00 Uhr fährt sie ins Büro. **3.** Von 9.30 Uhr bis 18.00 Uhr arbeitet sie. **4.** Sie ruft viele Kollegen an. **5.** Sie liest drei Berichte. **6.** Sie schreibt

Lösungen

viele E-Mails. **7.** Um 12.00 Uhr macht sie Pause. **8.** Nachmittags präsentiert sie ein Projekt. **9.** Abends sieht sie fern. **10.** Um 23.00 Uhr geht sie ins Bett. *(10 x 1 P.)*

Kapitel 5

Hauptteil

1 b) **Mittags isst man in Deutschland:** Currywurst, Pizza | **in Österreich:** Wiener Schnitzel mit Kartoffelsalat | **in der Schweiz:** Rösti mit Bratwurst
Abends isst man in Deutschland und Österreich: Brot mit Käse und Wurst oder einen Salat
Im Durchschnitt trinkt man in Deutschland: 110 Liter Bier, 140 Liter Mineralwasser, 1 184 Tassen Kaffee | **in Österreich:** 162 Liter Kaffee, 126 Liter Tee | **in der Schweiz:** 57 Liter Bier, 37 Liter Wein

5 a) 1. Trinkst du gern Orangensaft? – Ja, ich trinke gern Orangensaft. 2. Trinkst du gern Milch? – Ja, ich trinke gern Milch. 3. Isst du gern Obst? – Ja, ich esse gern Obst. 4. Magst du Schokolade? – Ja, ich mag Schokolade. 5. Isst du viel Fleisch? – Ja, ich esse viel Fleisch. 6. Isst du gern Kuchen? – Ja, ich esse gern Kuchen.
b) 1. Mögen Sie Joghurt? – Ja, ich mag Joghurt. 2. Trinken Sie gern Tee? – Ja, ich trinke gern Tee. 3. Mögen Sie Salat? – Ja, ich mag Salat. 4. Essen Sie gern Nudeln? – Ja, ich esse gern Nudeln.

7 a) 1. der Kartoffelsalat, die Kartoffelsuppe 2. der Apfelkuchen, der Apfelsaft 3. das Schinkenbrötchen 4. der Nudelsalat, die Nudelsuppe 5. die Fischsuppe, das Fischbrötchen 6. der Käsesalat, das Käsebrötchen, der Käsekuchen
b) die Suppe, das Käsebrötchen, der Kartoffelsalat

8 1. Kartoffel, Salat, Kartoffelsalat 2. Schokolade, Torte, Schokoladentorte 3. Käse, Brötchen, Käsebrötchen 4. Apfel, Kuchen, Apfelkuchen 5. Nudel, Suppe, Nudelsuppe 6. Schinken, Pizza, Schinkenpizza

9 **Transkription Hörtext:** *Im Restaurant*
Lisa: Können wir bitte die Speisekarte haben? | Kellner: Natürlich, bitte sehr. Möchten Sie schon etwas trinken? | Max: Ja, ich nehme ein Mineralwasser ohne Sprudel. | Lisa: Und ich hätte gern ein Glas Weißwein. | Kellner: Ein Glas Riesling? | Lisa: Ja, bitte. | Kellner: Die Getränke kommen sofort. | Lisa: Was nimmst du? | Max: Hm, ich denke, ich nehme als Vorspeise die Tomatensuppe und als Hauptgericht das Schnitzel mit Kartoffelsalat. Als Dessert esse ich vielleicht ein Stück Apfelkuchen. | Lisa: Ich esse Nudeln mit Hühnerfleisch. | Max: Möchtest du keine Vorspeise, zum Beispiel eine Gemüsesuppe? | Lisa: Nein, ich nehme nur die Nudeln. | Max: Na gut, dann esse ich auch keine Vorspeise. Möchtest du auch kein Dessert? | Lisa: Nein, keine Vorspeise und kein Dessert. | Kellner: Ihre Getränke: ein Mineralwasser und ein Glas Weißwein. | Max: Wir hätten gern ein Schnitzel mit Kartoffelsalat, einmal Nudeln mit Hühnerfleisch und später ein Stück Apfelkuchen. Kellner: Sehr gerne. | Kellner: So, einmal das Schnitzel und einmal die Nudeln mit Hühnerfleisch. Guten Appetit! | Max: Vielen Dank. | Lisa: Guten Appetit! | Max: Danke, gleichfalls. | Lisa: Und, wie schmeckt dein Schnitzel? | Max: Das Fleisch ist zu zäh. Der Kartoffelsalat schmeckt auch nicht. Wie findest du die Nudeln? | Lisa: Die Nudeln sind lecker. | Max: Du hast wieder Glück … | Lisa: Ja, wie immer …
a) 1. falsch 2. falsch 3. richtig 4. richtig 5. richtig
b) 1. Möchten 2. nehme 3. kommen 4. nimmst 5. nehme 6. esse 7. Möchtest 8. nehme 9. schmeckt 10. ist 11. schmeckt 12. findest 13. sind 14. hast

11 1. Wie schmeckt dein Kaffee? – Er schmeckt nicht (gut). Er ist kalt. 2. Wie schmecken die Nudeln? – Sie schmecken sehr gut. 3. Wie schmeckt der Schokoladenkuchen? – Er schmeckt nicht (gut). Er ist zu süß. 4. Wie schmeckt der Obstsalat? – Er schmeckt nicht (gut). Er ist zu sauer. 5. Wie schmeckt die Currywurst? Sie schmeckt nicht (gut). Sie ist zu scharf. 6. Wie schmeckt das Steak? – Es schmeckt ausgezeichnet. 7. Wie schmeckt das Eis? – Es schmeckt sehr gut.

12 a) *Nicht* steht oft am Satzende oder vor dem Infinitiv. *Kein* steht nur vor Nomen.
b) 1. Ich esse das Schnitzel nicht. 2. Ich möchte kein Eis. 3. Den Salat finde ich nicht lecker. 4. Ich esse nicht gern Currywurst. 5. Ich koche heute nicht. 6. Ich esse mittags nicht in der Kantine. 7. Maria trinkt abends keinen Kaffee.

13 b) 1. A: Ich brauche eine Gabel. B: Tut mir leid, ich habe keine Gabel. A: Ohne Gabel kann ich nicht essen. 2. A: Ich brauche einen Topf. B: Tut mir leid, ich habe keinen Topf. A: Ohne Topf kann ich nicht kochen. 3. A: Ich brauche ein Glas. B: Tut mir leid, ich habe kein Glas. A: Ohne Glas kann ich nicht trinken. 4. A: Ich brauche einen Löffel. B: Tut mir leid, ich habe keinen Löffel. A: Ohne Löffel kann ich nicht essen. 5. A: Ich brauche (das) Salz. B: Tut mir leid, ich habe kein Salz. A: Ohne Salz kann ich nicht kochen. 6. A: Ich brauche eine Tasse. B: Tut mir leid, ich habe keine Tasse. A: Ohne Tasse kann ich nicht trinken.

15 **Beispielsätze:** 1. Ich hätte gern ein Wasser. – Tut mir leid, ich habe kein Wasser. 2. Kann ich bitte Pfeffer und Salz haben? – Ja, gerne. 3. Ich hätte gern ein Glas Milch. – Einen Moment bitte, ich hole die Milch. 4. Ich möchte bitte ein Stück Schokoladenkuchen. – Ja, gerne. 5. Ich hätte gern einen Kaffee. – Einen Moment bitte. 6. Haben Sie Schokolade? – Ja, ich habe Schokolade. Hier, bitte.

16 **Beispielsätze:** 1. Hast du ein Lieblingsrestaurant? – Ja, mein Lieblingsrestaurant ist das Restaurant Angelo in Berlin. 2. Isst du viel Gemüse? – Ja, ich esse viel Gemüse. 3. Was isst du abends? – Abends esse ich Brot mit Käse. 4. Isst du gern Fisch? – Nein, Fisch esse ich nicht so gern. 5. Wann frühstückst du? – Ich frühstücke um 8.00 Uhr. 6. Kochst du am Sonntag? – Ja, ich koche am Sonntag.

17 deutsche, internationale, italienische, französische, indische, spanische, chinesische, griechische, thailändische, mexikanische, russische, interessante

20 a) Salami, Käse, Wein, Brot

21 a) 1. italienische Gerichte, italienischen Wein 2. französischer Käse, ungarische Salami, deutsches Brot 3. französischen Käse, ungarische Salami, deutsches Brot
b) **maskulin, Akkusativ:** französischen Käse, *Endung: -en* | **feminin, Nominativ:** ungarische Salami, *Endung: -e* | **feminin, Akkusativ:** ungarische Salami, *Endung: -e* | **neutral, Nominativ:** deutsches Brot, *Endung: -es* | **neutral, Akkusativ:** deutsches Brot, *Endung: -es* | **Plural, Akkusativ:** italienische Gerichte, *Endung: -e*
c) **Beispiele:** Ich esse gern spanischen Schinken, ungarische Wurst, italienische Nudeln, indischen Reis, deutsche Äpfel. Ich trinke gern schottischen Whisky, französischen Wein, chinesischen Tee.

23 1. Mozartkugeln: a) Mozartkugeln gibt es seit 1890. b) Ihr Erfinder war (der Konditor) Paul Fürst. c) Die Kugel hat den Namen von Wolfgang Amadeus Mozart. d) Die Konditorei Fürst produziert die originalen Mozartkugeln mit der Hand. e) Man kann originale Mozartkugeln nur in wenigen Geschäften in Salzburg kaufen.
2. Toblerone: a) Toblerone gibt es seit dem 17. Jahrhundert. b) Der Erfinder war Theodor Tobler. c) Man kann Toblerone in 122 Ländern kaufen. d) Die Schokolade sieht aus wie die Schweizer Berge. e) Die Schweizer mögen Schokolade. Sie essen rund 12 kg im Jahr.
3. Gummibärchen: a) Gummibärchen gibt es seit 1922. b) Ihr Erfinder war Hans Riegel. c) Die Firma Haribo produziert Gummibärchen. d) Sie ist bis heute Marktführer. e) Die Deutschen kaufen für 657 Millionen Euro im Jahr Gummibärchen.

Vertiefungsteil

Ü1 1. der Reis 2. die Torte 3. die Schokolade 4. der Schinken 5. das Sauerkraut 6. der Quark 7. die Tomate 8. das Brot 9. die Ananas

Ü2 der Apfel, die Birne, das Brötchen, die Kartoffel, die Zwiebel, die Erdbeere, das Öl

Ü3 1. die Zwiebel, **Oberbegriff:** Obst 2. der Schinken, **Oberbegriff:** Milchprodukte 3. die Kartoffel, **Oberbegriff:** Fleisch und Wurst 4. die Eier, **Oberbegriff:** Getreideprodukte 5. der Fisch, **Oberbegriff:** Gemüse

Ü4 **Lösungswort:** gesund 1. KAFFEE 2. SCHOKOLADE 3. NUDELN 4. BIRNE 5. LIMONADE

Ü5 1. Ich mag keine Äpfel. 2. Esst ihr viel Obst? 3. Wir essen lieber Gemüse. 4. Isst du gern Fisch? 5. Ich esse sehr gern Fisch. 6. Mögen Sie Bratwurst mit Sauerkraut? 7. Mein Mann mag Bratwurst mit Sauerkraut. 8. Frau Müller isst mittags gern Currywurst.

Ü6 1. Ich esse nicht gern Fisch. 2. Martin kann nicht gut kochen. 3. Der Chef isst mittags nicht in der Kantine. 4. Zu viel Süßes ist nicht gesund. 5. Ich mag dieses Gericht nicht. 6. Mama kocht heute Abend nicht.

Ü7 1. Hast du eine Tasse? – Nein, ich habe leider keine Tasse. 2. Hast du einen Löffel? – Nein, ich habe leider keinen Löffel. 3. Hast du ein Messer? – Nein, ich habe leider kein Messer. 4. Hast du einen Topf? – Nein, ich habe leider keinen Topf. 5. Hast du ein Glas? – Nein, ich habe leider kein Glas. 6. Hast du eine Pfanne? – Nein, ich habe leider keine Pfanne. 7. Hast du eine Gabel? – Nein, ich habe leider keine Gabel. 8. Hast du ein Brötchen? – Nein, ich habe leider kein Brötchen.

Ü8 **Beispieldialog:** 1. Lisa: Können wir bitte die Speisekarte haben? | 2. **Kellner:** Natürlich, bitte sehr. Möchten Sie schon etwas trinken? | 3. **Max:** Ja, ich nehme ein Mineralwasser ohne Sprudel. | 4. Lisa: Und ich hätte gern ein Glas Weißwein. | 5. **Kellner:** Ein Glas Riesling? | 6. Lisa: Ja, bitte. | 7. **Kellner:** Die Getränke kommen sofort.

Ü9 **etwas bestellen:** Ich hätte gern ..., Ich möchte bitte ..., Ich nehme ..., Ich esse .... | **Wünsche:** Guten Appetit! Zum Wohl! | **etwas bezahlen:** Ich möchte bitte zahlen. Die Rechnung bitte.

Ü10 1. Hauptgericht 2. Dessert 3. Vorspeise 4. Vorspeise 5. Dessert 6. Vorspeise 7. Dessert 8. Getränke 9. Stück 10. Appetit 11. Appetit 12. Fleisch 13. Glück

Ü11 1. deutsche Kartoffeln 2. italienische Nudeln 3. spanischen Schinken 4. polnische Wurst 5. norwegischen Fisch 6. österreichische Schokoladentorte 7. indischen Reis 8. französischen Käse

Ü12 1. essen 2. trinken 3. kann 4. mögen 5. isst

Ü13 1. mit 2. in 3. im 4. in 5. mit

Ü14 1. Der Erfinder war der Konditor Paul Fürst. 2. Die Kugel hat den Namen von Wolfgang Amadeus Mozart. 3. Die Konditorei Fürst produziert die originalen Mozartkugeln mit der Hand. 4. Man kann originale Mozartkugeln nur in wenigen Geschäften in Salzburg kaufen.

Abschlusstest

T1 1. Nudeln 2. Erdbeeren 3. Kartoffeln 4. Eier 5. einen Löffel 6. einen Topf 7. einen Teller 8. eine Tasse *(8 x 1 P.)*

T2 1. Milchprodukte 2. Gemüse 3. Getreideprodukte 4. Obst *(4 x 1 P.)*

T3 1. Magst du Bananen? 2. Wir gehen heute nicht ins Restaurant. 3. Mein Mann kann nicht kochen. 4. Max schmeckt das Schnitzel nicht gut. *(4 x 1 P.)*

T4 1. Ich möchte/nehme/trinke ein Mineralwasser ohne Sprudel. 2. Ich nehme/esse/möchte als Vorspeise die Tomatensuppe. 3. Ich esse/nehme/möchte Nudeln mit Hühnerfleisch. 4. Magst/Möchtest/Isst/Nimmst du keine Vorspeise? *(4 x 1 P.)*

Kapitel 6

Hauptteil

2 **f)** -en: Max ist zum Arzt gegangen. – gehen | Der Astronaut ist zum Mond geflogen. – fliegen | Otto hat den Bericht gelesen. – lesen | Der Chef hat mit Frau Müller gesprochen. –

sprechen | Olaf hat eine E-Mail geschrieben. – schreiben | -t: Peter hat für eine Prüfung gelernt. – lernen | Vera hat Gymnastik gemacht. – machen

3 a) 1. Hast du gestern um 9.00 Uhr gefrühstückt? – Ja, ich habe gestern um 9.00 Uhr gefrühstückt. 2. Hast du gestern mit Sabine gesprochen? – Ja, ich habe gestern mit Sabine gesprochen. 3. Hast du gestern die E-Mail vom Chef gelesen? – Ja, ich habe gestern die E-Mail vom Chef gelesen. 4. Bist du gestern nach Berlin gefahren? – Ja, ich bin gestern nach Berlin gefahren. 5. Hast du gestern um 12.00 Uhr eine Pause gemacht? – Ja, ich habe gestern um 12.00 Uhr eine Pause gemacht. 6. Bist du gestern zur Apotheke gegangen? – Ja, ich bin gestern zur Apotheke gegangen. 7. Hast du gestern einen Bericht geschrieben? – Ja, ich habe gestern einen Bericht geschrieben.
b) 1. Wie lange hast du Pause gemacht? – Ich habe 15 Minuten Pause gemacht. 2. Wie lange hast du Musik gehört? – Ich habe eine Stunde Musik gehört. 3. Wie lange hast du E-Mails gelesen und geschrieben? – Ich habe fünf Stunden E-Mails gelesen und geschrieben. 4. Wie lange hast du Fußball gespielt? – Ich habe anderthalb Stunden Fußball gespielt. 5. Wie lange hast du gearbeitet? – Ich habe acht Stunden gearbeitet. 6. Wie lange hast du geschlafen? – Ich habe nur fünf Stunden geschlafen.

4 **Transkription Hörtext:** *Bürogespräche*
Erika: Guten Morgen, Paul, wie geht es dir? | **Paul:** Ach, mir geht es überhaupt nicht gut. Ich habe heute Nacht nur drei Stunden geschlafen. | **Erika:** Hast du gestern zu viel gearbeitet? | **Paul:** Vielleicht. Ich habe zwei Projekte präsentiert, 95 E-Mails gelesen und 52 E-Mails geschrieben. Ich habe zweimal mit Frau Müller gesprochen und ich habe Kaffee gekocht. Du warst ja nicht im Büro. | **Erika:** Das stimmt, ich hatte gestern Urlaub. | **Paul:** Ich war bis 20.00 Uhr im Büro, danach war ich noch im Fitnessstudio. | **Erika:** Wann hast du abends gegessen? | **Paul:** Ich habe gestern in der Kantine nur eine Currywurst gegessen. Abends habe ich nichts gegessen, ich hatte keinen Hunger. | **Erika:** Das ist nicht gesund! | **Paul:** Und ich habe einen Krimi gelesen. Der Krimi war sehr spannend. | **Erika:** Einen Krimi? | **Paul:** Ja, „Mord im Museum" von Benno Honig. | **Erika:** Das Buch habe ich auch schon gelesen. Wirklich spannend!
Margit: Guten Morgen. | **Erika:** Guten Morgen, Margit. Wie geht es dir? | **Margit:** Ach, ich habe heute Nacht nicht gut geschlafen. Ich habe einen Krimi gelesen: „Mord im Museum".
a) 1. richtig 2. falsch 3. richtig 4. richtig 5. falsch 6. falsch
b) 1. arbeiten 2. präsentieren 3. kochen 4. sein 5. haben 6. essen 7. haben 8. lesen 9. sein

5 b) 1. war 2. Waren 3. war 4. war 5. war 6. Wart 7. waren 8. Hattest 9. hatte 10. hatte 11. Hattet 12. hatten

6 **Beispieldialoge:** 1. Warum hast du dein Schnitzel nicht gegessen? – Ich hatte keinen Hunger. 2. Warum hast du die E-Mails nicht geschrieben? – Ich hatte keine Zeit. 3. Warum hast du den Bericht nicht gelesen? – Ich hatte keine Zeit. 4. Warum bist du nicht nach Köln gefahren? – Ich hatte keine Lust. 5. Warum hast du keine Gymnastik gemacht? – Ich hatte keine Lust. 6. Warum hast du nicht gefrühstückt? – Ich hatte keinen Hunger. 7. Warum bist du nicht zum Arzt gegangen? – Ich hatte keine Zeit. 8. Warum hast du nicht gearbeitet? – Ich hatte keine Lust.

8 b) **Spalte 1:** Martina hat Gymnastik gemacht. – Sie macht Gymnastik. Martina ist gefahren. – Sie fährt. Martina hat gearbeitet. – Sie arbeitet. Martina hat geschrieben. – Sie schreibt. Die Sitzung hat eine Stunde gedauert. – Sie dauert eine Stunde. Martina ist in ein Restaurant gegangen. – Sie geht in ein Restaurant. Jonas hat gelernt. – Er lernt. | **Spalte 2:** Die Besprechung hat angefangen. – Sie fängt an. Martina hat Kollegen angerufen. – Sie ruft Kollegen an. Martina hat eingekauft. – Sie kauft ein. Jonas ist ausgegangen. – Er geht aus. | **Spalte 3:** Martina hat Daten analysiert. – Sie analysiert Daten.

c) 1. Sie hat um 7.30 Uhr gefrühstückt. **2.** Danach hat sie Gymnastik gemacht. **3.** Um 8.00 Uhr ist Martina ins Büro gefahren. **4.** Von 8.30 bis 12.00 Uhr hat sie gearbeitet. **5.** Sie hat Daten analysiert. **6.** Sie hat viele E-Mails und Berichte geschrieben. **7.** Die Teambesprechung hat um 11.00 Uhr angefangen. **8.** Die Besprechung hat eine Stunde gedauert. **9.** Martina hat Kollegen angerufen. **10.** Sie hat in der Stadt eingekauft. **11.** Danach ist sie mit Freunden in ein Restaurant gegangen. **12.** Jonas hat ein Seminar besucht. **13.** Er ist mit Max und Moritz ausgegangen.

9 **Fragen: 1.** Wann hast du gefrühstückt? **2.** Wann bist du ins Büro/in die Uni gefahren? **3.** Wann hast du Mittagspause gemacht? **4.** Wann hast du im Supermarkt eingekauft? Wann hast du deutsche Vokabeln gelernt? **6.** Wann hast du deine Freunde besucht?

11 **b) 1.** gemacht **2.** angerufen **3.** aufgestanden **4.** analysiert **5.** telefoniert **6.** gehört **7.** präsentiert **8.** gegessen **9.** ausgegangen **10.** geschrieben **11.** besucht

13 **b)** In Deutschland gibt es ca. 300 staatliche Universitäten und Hochschulen, etwa 100 private Universitäten und Hochschulen, ca. 18 000 Studiengänge und über 300 000 Studenten aus dem Ausland.

14 **a) 1.** die Bibliothek **2.** der Lesesaal **3.** der Hörsaal **4.** der Seminarraum **5.** das Sekretariat **6.** die Cafeteria **7.** das Sprachenzentrum **8.** das Studentenwohnheim
b) Menschen: die Dozentin/der Dozent, die Professorin/der Professor | **Essen und Trinken:** die Cafeteria | **Information:** das Sekretariat | **Unterrichtsräume und Unterricht:** der Hörsaal, die Vorlesung, der Seminarraum, das Seminar, das Sprachenzentrum, der Sprachunterricht | **Bibliothek:** der Lesesaal, Bücher und Zeitschriften ausleihen, Bücher lesen, am Computer recherchieren
c) 1. richtig **2.** falsch **3.** richtig

15 **a) 1.** haben **2.** sprechen **3.** lernen **4.** diskutieren **5.** lesen **6.** gehen
d) 1. richtig **2.** richtig **3.** richtig **4.** falsch **5.** richtig **6.** falsch

16 **a) 1.** f **2.** b **3.** a **4.** d **5.** j **6.** g **7.** e **8.** k **9.** l **10.** h **11.** i
b) Beispielsätze: 1. Thomas hat mit anderen Studenten zusammen gewohnt. **2.** Jürgen hat neue Freunde gefunden. **3.** Thomas hat für eine Prüfung gelernt. **4.** Er hat eine gute Note bekommen. **5.** Elvira hat mit Professoren persönlich gesprochen. **6.** Alle Studenten haben Vorlesungen besucht. **7.** Elvira hat Studiengebühren bezahlt. **8.** Sie hat Texte geschrieben. **9.** Sie hat Filme gemacht. **10.** Sie hat das Studium abgeschlossen. **11.** Sie hat beim Fernsehen gearbeitet.

17 **b)** Ich studiere in Köln. Das Studium dauert drei Jahre. Ich bezahle Studiengebühren. Ich lerne jeden Tag acht Stunden Statistik.

18 **b) 1.** Thomas lernt viel und er besucht alle Vorlesungen. **2.** Elvira möchte ihr Studium abschließen und Paul sucht ein anderes Studienfach. **3.** André geht abends gern auf Partys und er schläft morgens lange. **4.** Eva wohnt mit anderen Studenten zusammen und sie kocht gern für alle.

Vertiefungsteil

Ü1 **1.** ist **2.** habe **3.** haben **4.** Habt **5.** sind **6.** Hast **7.** Haben **8.** Seid

Ü2 **a) 1.** Ich habe in Köln gewohnt. **2.** Ich habe eine Suppe gekocht. **3.** Ich habe Fußball gespielt. **4.** Ich habe Deutsch gelernt. **5.** Ich habe gearbeitet. **6.** Ich habe Vorlesungen besucht. **7.** Ich habe Rechnungen bezahlt. **8.** Ich habe in der Stadt eingekauft.
b) 1. Max hat mit Kollegen telefoniert. **2.** Er hat ein Dokument kopiert. **3.** Max hat Informatik studiert. **4.** Max hat eine Projektidee präsentiert. **5.** Er hat Fragen formuliert.
c) 1. Eva ist ins Café gegangen. **2.** Sie hat einen Tee getrunken. **3.** Eva hat nicht viel geschlafen. **4.** Eva ist nach Bonn gefahren **5.** Eva hat im Büro Zeitung gelesen. **6.** Sie hat zehn E-Mails geschrieben. **7.** Sie hat viel Deutsch gesprochen. **8.** Eva hat eine Pizza gegessen. **9.** Eva ist früh auf-

gestanden. **10.** Sie hat ferngesehen. **11.** Sie ist mit Moritz ausgegangen. **12.** Eva hat eine gute Note bekommen.

Ü3 **1.** Danach habe ich Gymnastik gemacht. **2.** Ich habe um halb acht gefrühstückt. **3.** Ich fahre um 7.45 Uhr mit dem Motorroller ins Büro. **4.** Um halb neun hatte ich eine Besprechung. **5.** Danach arbeite ich im Büro. **6.** Ich habe um 12 Uhr eine Pause gemacht. **7.** Ich bin in die Kantine gegangen und habe etwas gegessen. **8.** Am Nachmittag arbeite ich bis 17 Uhr.

Ü4 **1.** ferngesehen **2.** bezahlt **3.** unterrichtet **4.** untersucht **5.** angefangen **6.** aufgestanden **7.** angerufen **8.** eingekauft **9.** übernachtet

Ü5 **1.** Warum hast du die E-Mails nicht geschrieben? – Tut mir leid, ich hatte keine Zeit. **2.** Warum hast du Eva nicht besucht? – Tut mir leid, ich hatte kein Auto. **3.** Warum hast du kein Obst gekauft? – Tut mir leid, ich war nicht im Supermarkt. **4.** Warum hast du die Rechnung nicht bezahlt? – Tut mir leid, ich hatte kein Geld. **5.** Warum hast du Frau Müller nicht angerufen? – Tut mir leid, ich war nicht im Büro. **6.** Warum bist du nicht ins Fitnessstudio gegangen? – Tut mir leid, ich war zu müde. **7.** Warum hast du den Krimi nicht zu Ende gelesen? – Tut mir leid, der Krimi war langweilig.

Ü6 **1.** richtig **2.** falsch **3.** falsch **4.** richtig **5.** falsch **6.** falsch

Ü7 **1.** Für mein Studium habe ich 8 000 Euro Studiengebühren im Jahr bezahlt. **2.** Das war viel Geld. **3.** Wir waren zehn Studenten in der Studiengruppe. **4.** Wir haben mit den Dozenten und Professoren immer persönlich gesprochen. **5.** Alle Geräte und Möbel waren neu. **6.** Das Studium war interessant. **7.** Wir haben viel gelernt und viele Texte geschrieben. **8.** Wir haben auch kleine Filme gemacht. **9.** Wir hatten viele praktische Projekte.

Ü8 **Lösungswort:** Prüfung **1.** SEKRETARIAT **2.** STUDIENGEBÜHREN **3.** STUDIENFACH **4.** HOCHSCHULEN **5.** MENSA **6.** VORLESUNGEN

Ü9 **Beispielsätze: 1.** Die Zimmersuche war Wahnsinn! **2.** Die Partys waren toll. **3.** Das Studium war nicht so interessant. **4.** Die Diskussionen waren zu abstrakt. **5.** Die Bücher waren langweilig. **6.** Der Kontakt mit den Professoren war unpersönlich. **7.** Das Essen in der Mensa war lecker. **8.** Die technischen Geräte waren neu.

Abschlusstest

T1 **1.** Er ist in den Park gegangen. **2.** Er hat ein Brötchen gegessen. **3.** Er hat einen Bericht gelesen. **4.** Er hat Kaffee getrunken. **5.** Er hat mit Lisa gesprochen. **6.** Er hat für eine Prüfung gelernt. **7.** Er hat gut geschlafen. *(7 x 1 P.)*

T2 Mein Wochenende war prima. Ich habe Franz in München besucht. Wir haben am Samstag drei Stunden Fußball gespielt und hatten großen Spaß. Am Abend haben wir ferngesehen. Am Sonntag haben wir lange geschlafen und mittags haben wir in einem spanischen Restaurant gegessen. Nachmittags sind wir ins Kino gegangen und haben Terminator 10 gesehen. *(9 x 1 P.)*

T3 **1.** Ich lerne viel und ich habe gute Noten. **2.** Paul geht in die Bibliothek und Paula besucht eine Vorlesung. *(2 x 2 P.)*

Textquellen

S. 18, 22   Inf. aus: Österreicher grüßen am liebsten mit „Hallo". derStandard.at, 27.4.2012 [http://derstandard.at/1334796387954/Grusskultur-Oesterreicher-gruessen-am-liebsten-mit-Hallo]

S. 80, 16   Inf. aus: Zeitverwendungserhebung der Statistik Austria. Statistik Austria, 19.8.2010 [http://www.statistik.at/web_de/presse/052105.html]

S. 93, 1a   Inf. aus: Maria Gerber: Das trinken die Deutschen. welt.de, 22.10.2010 [https://www.welt.de/print/die_welt/wissen/article10461591/Das-trinken-die-Deutschen.html]

Bildquellen

Diana Liebers: S. **100**/(1, 2)

Fotolia: S. **3**/(1, Cover) DOC RABE Media, (2, Cover) goodluz, (3, Cover) pure-life-pictures, (4, Cover) Drobot Dean, (5, Cover) industrieblick, (6, Cover) Syda Productions, (7, Cover) alter_photo, (8, Cover) Africa Studio, (9, Cover) Drobot Dean, (10, Cover) WavebreakMediaMicro, (11, Cover) Africa Studio, (12, Cover) sergej_wismann, S. **4**/(1) DOC RABE Media, (2) goodluz, (3) pure-life-pictures, S. **5**/(1) Drobot Dean, (2) industrieblick, (3) Syda Productions, S. **6**/(1) alter_photo, (2) Africa Studio, (3) Drobot Dean, S. **7**/(1) WavebreakMediaMicro, (2) Africa Studio, (3) sergej_wismann, S. **9**/DOC RABE Media, S. **10**/Eugenio Marongiu, S. **11**/John Smith, S. **15**/Robert Kneschke, S. **16**/photopitu, S. **17**/(1, Cover) JFL Photography, S. **18**/Anja Ergler, S. **19**/graberfotografie, S. **21**/(1) Voyagerix, (2) Syda Productions, S. **28**/(1, Cover) RRF, S. **29**/Maria Sbytova, S. **30**/(1) vadim_orlov, (2) struvictory, (8) Sergii Mostovyi, (15) Scanrail, (17) Jacob Lund, (19) Tilio & Paolo, (20) picsfive, (22) magdal3na, S. **33**/Africa Studio, S. **35**/Andreaphoto, S. **37**/(1) vege, (2) Petr Vaclavek, S. **38**/(1, Cover) goodluz, (2, 3) contrastwerkstatt, S. **39**/(1) contrastwerkstatt, S. **41**/(2) picsfive, (4) Jacob Lund, (7) vadim_orlov, (9) Sergii Mostovyi, S. **43**/Juanamari Gonzalez, S. **48**/Scanrail, S. **49** Frankfurt, Römer/pure-life-pictures, S. **50**/Africa Studio, S. **51**/(1) weseetheworld, (3) Givaga, (5) Nitr, (6) starkovphoto (7) Printemps, (8) cut, (9) HLPhoto, (10) a_photo, (11) rdnzl, S. **53**/(1, Cover) Fxquadro, S. **54**/Brent Hofacker, S. **55**/anyaberkut, S. **57**/(1) hachri, (2, Cover) borisb17, (3) Sergii Figurnyi, S. **58**/Andrey Popov, S. **59**/ikonoklast_hh, S. **61**/Branko Srot, S. **62**/(1) anyaberkut, (2) ninami, S. **63**/(2) a_photo, (5) Nitr, (6) Printemps, (7) HLPhoto, (8) cut, (9) kbuntu, (10) rdnzl, (11) myviewpoint, (12) Brent Hofacker, S. **65**/anyaberkut, S. **66**/(1) Robert Kneschke, (2) powell83, S. **70**/(1) fotomek, (2) Scanrail, (3) Gajus, (4) GoodMood Photo, (5) contrastwerkstatt, (6) a_korn, (7) Marco2811, S. **71**/Drobot Dean, S. **73**/(7) Floydine, S. **77**/Kim Schneider, S. **78**/Ermolaev Alexandr, S. **85**/BillionPhotos.com, S. **92**/Gina Sanders, S. **93**/(1) industrieblick, (2) rdnzl, (3) GianlucaCiroTancredi, (5) gkrphoto, (7) Brent Hofacker, (8) HandmadePictures, S. **94**/(2) Davizro Photography, (4) misaleva, (5) Givaga, (6) a_photo, S. **95**/(12) Eddie, (26) Jérôme Rommé, (30) Matthias Buehner, S. **97**/Ally, S. **100**/(4) phonlamaiphoto, (5) Elnur, (8) krasyuk, S. **104**/(2, Cover) Christian Jung, (3) Lovrencg, S. **105**/(6) Jérôme Rommé, (7) Eddie, S. **107**/puhhha, S. **112**/(5) motorolka, (8) phonlamaiphoto, (9) Elnur, S. **113**/Syda Productions, S. **115**/Photographee.eu, S. **120**/(2) eyetronic, S. **123**/.shock, S. **124**/Marco2811, S. **126**/Kitty, S. **132**/flairimages

Pixelio: S. **12**/berggeist007, S. **30**/(3) Lupo, (4) Lupo, (5) Rainer Sturm, (6) Harald Schottner, (7) Jörg Blanke, (9) Rainer Sturm, (10) Albrecht E. Arnold, (11) BirgitH, (12) Andreas Liebhart, (13) Dagmar Flehmig, (14) H.-Joachim Schiemenz, (16) Andreas Hermsdorf, (18) Christian Evertsbusch, (21) Kersten Schröder, (23) Gila Hanssen, S. **41**/(1) Albrecht E. Arnold, (3) Lupo, (5) Lupo, (8) Jörg Blanke, S. **51**/(2) Timo Klostermeier, (3) Rainer Sturm, (10) H.-Joachim Schiemenz, (4) Rainer Sturm, S. **72**/Rike, S. **73**/(1) Timo Klostermeier, (2) Karl-Heinz Laube, (3) Rolf, (4) Maddin69, (5) Petra Dirscherl, (6) Helmut J. Salzer, S. **86**/Harald Schottner, S. **93**/(4) TaschaKlick, (6) Rainer Sturm, S. **94**/(1) Timo Klostermeier, (3) Rainer Sturm, (6) Rainer Sturm, (9) Timo Klostermeier, S. **95**/(1) Mika Abey, (2) Maja Dumat, (3) A. Reinkober, (4) Erich Gebhard, (5) Katharina Wieland Müller, (6) Uwe Wagschal, (7) Paul-Georg Meister, (8) Peter Smola, (9) M. Großmann, (10) Tim Reckmann, (11) Noname, (13) gänseblümchen, (14) Campomalo, (15) Heiko Stuckmann, (16) Gabriele Bauer, (17) Maria Lanznaster, (18) Joujou, (19) Rolf Handke, (20) Rainer Sturm, (21) M. Großmann, (22) Timo Klostermeier, (23) BirgitH, (24) Mamas-Hausmittel.de, (25) Martin Jäger, (27) Horst Schröder, (28) luise, (29) Andreas Hermsdorf, (31) ad, (32) Andreas Hermsdorf, S. **100**/(3) Günter Havlena, (7) Rainer Sturm, (9, 10) I-vista, S. **102**/Tim Reckmann, S. **103**/Michael Lingenberg, S. **104**/(1) günther gumhold, S. **105**/(1) Horst Schröder, (2) Maria Lanznaster, (3) Maja Dumat, (4) A. Reinkober, (5) Noname, (8) Andreas Hermsdorf, (9) Rolf Handke, (10) ad, (11) Florentine, S. **112**/(1) Horst Schröder, (2) Joujou, (3) Andreas Hermsdorf, (4) M. Großmann, (5) Günter Havlena, (7) Rainer Sturm, S. **117**/Dieter Schütz, S. **120**/(1, Cover) Gerd Fischer

Wikimedia: S. **40**/Zadi Diaz, S. **43**/(1) Alex Covarrubias, (2) SKopp, (3) Pedro A. Gracia Fajardo, (4) Zscout370, (5) SKopp, (6) Zscout370, (7) Kseferovic, (8) SKopp, (9) -xfi-, (10) Zscout370

Weitere Quellen: S. **44**/(1) Marie Isabel Mora, (2) Universität Wien

Zeichnungen: Jean-Marc Deltorn